NIEMAND WEET

Gerda Crouset

Niemand weet

Literaire thriller

Proloog

Ze wist waartoe hij in staat was. Ze had hem op de binnenplaats als een waanzinnige horen schreeuwen. Ze had hem nooit kunnen begrijpen. Dat driftige, dat oncontroleerbare. Dat moest hij van zijn vader hebben. De dokter met zijn dure taal had zich beter om hém kunnen bekommeren, in plaats van om haar.

Een vlammende pijn trok door haar onderbuik in een poging zich langzaam op haar rechterzij te draaien. Haar benen schokten terwijl haar honderdachtendertig kilo's weer tot rust probeerden te komen. Even, nog een laatste poging en ze zou erin slagen om op te staan. Eindelijk.

Door het slaapkamerraam zag ze in de verte de toren van de Hervormde Kerk als een baken in de nacht boven het dorp uitsteken. Tien keer sloeg de klok de tijd vooruit. Daarna was het weer stil. Beneden, in de keuken, werd een lade opengetrokken. Ze hoorde hem heen en weer lopen. Het klonk alsof hij weloverwogen met de voorbereidingen van zijn daad was begonnen. Haar leven zou – als ze niet snel in actie kwam – op een gruwelijke manier tot een einde komen.

Ze móést opstaan. Ze moest haar naakte lichaam, waar hij zo minachtend naar had gekeken, bedekken en zo geruisloos mogelijk naar het slaapkamerraam aan de voorzijde van het huis sluipen. Misschien kon ze de aandacht van voorbijgangers trekken, beneden op straat. Het raam openen. Met haar armen zwaaien. Roepen. Schreeuwen. Net zo hard als hij geschreeuwd had.

Voorzichtig probeerde ze zich van het bed op te richten, maar haar gewicht en de kramp in haar buik deden haar weer terugzakken op de matras. Op het nachtkastje stonden de pillen die ze van de dokter had gekregen. Als ze zich iets naar voren werkte, kon ze het doosje te pakken krijgen en de inhoud in een keer naar binnen werken met het glas water dat ernaast stond. Ze had weleens gehoord van mensen die in doodsnood op die manier een einde aan hun leven hadden gemaakt, voordat een ander dat had kunnen doen. Net als mensen die van een brandend gebouw naar beneden springen. Maar zo gemakkelijk kwam hij niet van haar af.

Haar tong werd steeds dikker en droger. Als ze nu maar niet ging hoesten. Ze probeerde het glas op het nachtkastje te pakken, maar greep mis, zodat er water over de rand heen klotste. Wanhopig draaide ze haar gezicht in het kussen en hoestte.

Er klonken voetstappen onder aan de trap. Als hij maar niet naar boven kwam, juist op het moment dat ze zich naar de rand van het bed wilde toewerken. Maar het bleef stil, totdat de voetstappen duidelijk hoorbaar weer verdwenen. Nu moest hij in de stomerij zijn en voor het laatst nog eens goed om zich heen kijken. Want zo was hij wel. Hij zou met tranen in de ogen nog een keer over moeders paspop aaien. Met een zucht zijn hand op het dek van de kledingpers leggen, het enige apparaat waarmee hij nooit goed had leren werken. Een tikje geven tegen de deur van de reinigingsmachine, die al weken niet meer draaide en die nog altijd een smerige stank verspreidde.

Als een roofdier klauwde ze haar nagels in de matras en draaide zich op haar buik. Nu lag ze op het randje en kon ze haar onderbenen boven het zeil laten zweven. Voor ze het wist, belandden haar knieën met een plof op de vloer naast het bed. Ze richtte haar bovenlichaam op en wachtte. Beneden hoorde ze vaag gerommel. Ze moest zich steunend op het bed opduwen, zodat ze tot staan kon komen. Tranen sprongen in haar ogen. Hoe vaak hadden ze haar vroeger op school tijdens gym niet uitgelachen als ze in deze houding was beland en met geen mogelijkheid meer overeind kwam.

Met een bovenmenselijke kracht duwde ze zichzelf omhoog. Haar hele lichaam trilde. Ze rukte het laken van het bed, sloeg het om en strompelde naar de kamerdeur. Een misselijkmakende stank kwam haar met golven tegemoet. Tevergeefs zocht ze naar het knopje van het licht. Met één hand voor haar mond om de scherpe lucht niet in te hoeven ademen en met de andere om het laken voor haar borsten geklemd, liep ze in de richting van het donkere trapgat. Niet naar beneden kijken, hij stond daar niet meer. Ze hoorde hoe hij bezig was met het legen van de vaten. Wat moest ze in godsnaam doen? Ze had geen tijd te verliezen. Als hij een lucifer zou afsteken, zou een enorme vuurbal alles de lucht in laten vliegen.

Ze trok het laken wat hoger op, haar linkervoet raakte verward in de plooien. Ze trapte zich los en voelde dat ze haar evenwicht verloor. Haar rechterhand zocht naar de balustrade, maar vond geen houvast. Ze slaakte een gil en viel, zwaaiend met haar armen, in het donkere trapgat de dertien treden naar beneden.

SEDNA WELLNESS CENTER
Directiekamer

09.13 UUR

De relaxweide lag er rustig bij. Leo nam met trillende hand een slok van zijn koffie en staarde door het raam van de directiekamer naar de donkerblauwe stretchers die als veldbedden naast elkaar stonden opgesteld. Mooi geordende rijen, af en toe onderbroken door een laag tafeltje, waarop glazen prosecco, smoothie, muntthee, bier of wijn zouden komen te staan.

'Pech', verzuchtte John. Hij liet zich achterovervallen in zijn stoel en hief zijn armen op boven het bureaublad. 'Hoeveel pech kan een mens in zijn leven hebben?'

Leo ging voor de zoveelste keer verzitten en keek naar Johns mooi gevormde handen, waarvan de kleur fel afstak tegen de lichtblauwe manchetten van het overhemd dat hij droeg. Hij had John nooit eerder – zoals nu – in een overhemd gezien. John zag er altijd uit als iemand die net terugkwam van vakantie: in een poloshirt, met een gebruind lichaam en een relaxte glimlach op zijn gezicht.

Hij liet zijn blik over zijn eigen handen glijden, knokerig en wit. De naar licht en lucht hunkerende handen van een gevangene in een isoleercel. Al jaren zat hij vast in zijn eigen lichaam. Had hij die handen van zijn moeder of van zijn vader? Van de aanraking door zijn moeders handen had hij zo vaak onrustig gedroomd.

Zijn handen waren zes of zeven jaar ouder dan die van John, maar ze zagen eruit als de handen van een man die zijn hele leven aan de schaduwzijde van het leven had gelopen. Hij was een loser. Het product van de verkeerde ouders.

Maar vandaag was zijn grote dag aangebroken. Hij mocht zijn hersenen dan kapotbreken op de vraag of hij niet helemaal voor niets hiernaartoe was gekomen, vandaag kon hij John en de anderen in elk geval laten zien wat hij in zijn mars had. Zolang hij maar rustig bleef en zich niet liet opfokken door Jan en alleman.

In alles ben ik een tegenpool van John, dacht hij. John kan het leven als een magiër bespelen. Zelfs plotselinge tegenslagen als die van vandaag lijken Johns humeur niet te kunnen verpesten. John zaait zilver en oogst goud. John zou uit een ruïne nog een torenflat weten te bouwen.

Leo keek naar de gouden zegelring aan Johns linkerhand. Het leek een familiewapen. Een stempel van goede afkomst. John had zijn flair en zelfverzekerdheid vast meegekregen tijdens een degelijke opvoeding. Hij mocht dan gekozen hebben voor het wereldje van de naaktlopers, voor hetzelfde geld was hij een *golden boy* geworden, een handelaar in andermans centen op de zweterige vloer van een aandelenbeurs. Of een alom geliefd directeur van een landelijke instelling voor de gezondheidszorg. Want John kon met mensen omgaan, en met geld. Daarin lag zijn kracht en dat wist hij maar al te goed. En hoe beter je met mensen omging, hoe meer geld je uit ze kon persen. Net zolang tot ze hun kleding voor je uittrokken en daar ook nog voor wilden betalen.

'Je hebt alles op een rijtje?' John sloot de onderste lade van zijn bureau en stak het sleuteltje in het borstzakje van zijn overhemd. 'Je kunt nooit weten wie er zijn neus steekt in zaken die hem niks aangaan', lachte hij.

Leo knikte. 'Maak je geen zorgen.'

Hij ontweek Johns blik door weer naar buiten te kijken. Het gras van de relaxweide was sappig en fris. Een ochtendbriesje trok door de populieren achter de buitensauna. Voor de gasten geen beter weer dan dit om uit te zweten voordat je aan een nieuwe ronde begint, dacht hij. De mensen zullen heerlijk kunnen wegzwijmelen aan de rand van het zwembad onder het gekwetter van de nestjes bouwende vogels. Als er maar geen rare dingen gebeuren. Iemand met ademhalingsproblemen, of een gast die ruzie krijgt met een lid van het personeel. Ontdaan van hun kleding kunnen mensen zich vreemd gaan gedragen. John wist alles in de kiem te smoren, maar die gave had hij nog niet bij zichzelf ontdekt.

'Alles is onder controle. Het programma zit muurvast in mijn kop en kan er niet meer uit.' Zijn woorden klonken overtuigend, maar hij zou het feestprogramma van die dag nog een paar keer goed moeten doornemen voordat het allemaal duidelijk en helder was. Vooral de toespraak die hij die middag moest houden, zat nog niet in zijn hoofd. John wilde dat hij tijdens het spreken niet van een papiertje spiekte, maar daarvan zag hij zelf het nut niet in. Niemand leerde tegenwoordig toch nog teksten uit het hoofd? Zelfs de groten der aarde lazen door anderen geschreven speeches voor vanaf een verborgen beeldschermpje. En zo tekstvast hoefde hij toch niet te zijn? Hij zou liever Johns tekst voorlezen en er af en toe een kwinkslag tussendoor gooien. Een lachje losweken om te laten zien hoe gemakkelijk het hem allemaal afging. Als hij maar niet voor onverwachte situaties kwam te staan en als een houten klaas versteende in het bijzijn van de gasten.

'Ik moet ervandoor, jongen.' Terwijl John opstond en zich in zijn zomerse colbertje hees, pakte Leo met een onbestemd gevoel in zijn maag de papieren die voor hem lagen op het bureau samen en maakte er een rolletje van. 'Als je een probleem hebt, bel me gerust.' John tikte met zijn hand tegen de zak van zijn jasje en wierp Leo een geruststellende blik toe. 'Ik zal mijn iPhone op trillen zetten. Dan kun je me altijd bereiken, mocht er onverhoeds een vraag opdoemen over het een of ander. En je weet: Berry is er de hele dag. Hij kent het klappen van de zweep.'

Leo volgde John naar de deur van de directiekamer en greep hem, voordat ze afscheid namen, in een opwelling van medelijden bij de schouder. 'Sterkte, John. Ik weet dat dit moeilijk voor je is. Ik zal aan je denken.' Kon ik maar met John mee, schoot het door zijn hoofd. 'Wil je dat ik met je meega? Je naar het ziekenhuis rij?'

John schrok op. 'Nee, nee... blijf jij maar hier. Je bent hier hard nodig.'

Kleedruimte

Het was stil in de kleedruimte. Het rook er naar rozen en chemicaliën. Een dodelijke cocktail van rozenhoutolie en bleekmiddel. Toen Leo er voor het eerst een emmer mee vulde, wist hij de neiging om te kotsen maar nauwelijks te onderdrukken. Kwam het door de herinnering aan vroeger, die de penetrante geur bij hem opriep? Een fractie van een seconde was hij uit zijn evenwicht geraakt en leek hij de grip op de fles met olie te verliezen. John wist hem nog net op tijd bij de bovenarm te grijpen om hem staande te houden. Of alles wel in orde was, vroeg John. Het personeel werkte toch al jaren met dat mengsel. Een etherisch wondermiddel was het volgens hem. 'Gewoon een paar van die druppeltjes olie aan het schoonmaakmiddel toevoegen, Leo, niet te veel, want dat spul is niet goedkoop.'

John had met toegeknepen ogen een nieuwe emmer gevuld en daar heel langzaam enkele druppels rozenhoutolie in laten lopen. 'Zie je? Het is gewoon een kwestie van routine.'

Leo knikte. Hij had naar Johns gespierde, door de zon gebruinde armen gekeken en naar zijn eigen onderarmen die in de felblauwe rubber schoonmaakhandschoenen staken. En hij had zich afgevraagd of de tranen in zijn ogen van het bijtende goedje kwamen, of van opluchting en dankbaarheid omdat John in hem geloofde door hem in dienst te nemen.

Na die dag begon Leo zijn ademhaling te regelen: met volgelopen longen vulde hij de emmer met de wondercocktail, liet daarna langzaam via zijn neus de lucht ontsnappen en draaide zich bij het oprichten een kwartslag om, alvorens weer rustig in te ademen. Het werd een routine, zoals John dat had voorspeld. Een dagelijks terugkerend ritueel voordat hij met zijn werkzaamheden kon beginnen.

De eerste weken voelde Leo de ogen van de gasten op zich gericht. Met de vloerwisser liep hij zo onopvallend mogelijk door de gangen en doucheruimtes, verwijderde rondslingerende hoofd- en schaamharen en beperkte zijn blik tot de tenen en benen van de aanwezigen. Spataderen, eksterogen, kloven, dode nagels. Af en toe iemand met voeteczeem of een vurig puistje. Bij gladde, slanke benen vertraagden de bewegingen van de vloerwisser. Bij dikke, wanstaltige enkels en knieën waarvoor geen enkele arts nog hoop kon bieden, verhoogde hij zijn tempo. Daar kon hij niet tegen.

Leo ging voor een van de spiegels in de kleedruimte zitten. Er zaten rode vlekjes in zijn nek. De spanning van de laatste dagen had duidelijk haar tol geëist. John is weg, de hele dag, dacht hij. Een kans om mezelf als manager te bewijzen. 'Wat kan er in hemelsnaam misgaan, jongen?' had John hem luchtigjes gevraagd toen hij de twijfel van zijn gezicht moest hebben gelezen. John had hem geruststellend bij zijn schouder gepakt en hem heel even het gevoel gegeven dat er meer was tussen hen beiden dan alleen een werkrelatie. 'Maak je niet te sappel, man. In nog geen jaar tijd heb je je opgewerkt van schoonmaker tot een vent die overal inzetbaar is.' John had gelijk, hoewel hij dat waarschijnlijk zei om zichzelf en hem moed in te praten. Leo had zijn baas bijna omhelsd, maar kon zich net op tijd bedwingen.

Leo keek naar zijn nagels die hij de afgelopen vierentwintig uur tot op het bed had afgebeten. Nog even en er zou zich een rij vormen bij de receptie. Een rij met veeleisende klanten. De vlekjes in zijn nek zouden groter worden en uitgroeien tot vlekken. Ze zouden zich verder gaan verspreiden naar zijn gezicht en de aandacht vestigen op de meest kwetsbare plek van zijn lichaam: het litteken bij zijn linkeroor. De onuitwisbare herinnering aan zijn jeugd. Hij probeerde wat haren over de plek te trekken, bedacht dat hij beter donker dan blond haar had kunnen hebben voor het verdoezelen van het stompje met ribbelhuid, greep resoluut de haardroger die naast de spiegel hing, en duwde hem als een revolver tegen zijn verminkte slaap.

Receptie

Julie van Selst stond met haar sporttas bij de receptie van Sedna Wellness Center te wachten op haar beurt. Haar voeten leken uit haar schoenen te barsten. Wippend van het ene been op het andere volgde ze de bedrijvigheid van de beide in taupekleurig trainingspak gestoken receptionistes achter de balie. Het duurde eindeloos. Een van hen hield een grote stapel badhanddoeken in haar armen en duwde die in een slakkentempo in een leeg vak aan de wand. De ander zat achter een computer en tuurde met een gefronst voorhoofd naar het scherm. Ze waren allebei minstens veertien jaar jonger dan zij, bedacht Julie met een zweem van jaloezie.

De hele achterwand van de receptie was opgedeeld in grote vakken, waarin zich badmantels, slippers, handdoeken en beautyartikelen bevonden. Vijftien vakken had Julie tijdens het wachten geteld, zachtjes, zodat niemand het kon horen. Eerst in het Nederlands, daarna in het Engels, Duits en Spaans. Van een naar vijftien, daarna van vijftien naar een. Ze had zich erover verbaasd hoe snel ze in het Spaans van vijftien terug kon tellen naar een. Zou die Julio nog wel eens aan haar denken? Op haar laatste brief, nu twee jaar geleden, had hij nooit meer iets laten horen. Vakantieliefde. Een mooi onderwerp voor een lifestyle reportage in de krant. Misschien moest ze dat maar eens aankaarten tijdens een redactievergadering. Wellicht mocht ze dan op kosten van de zaak een buitenlands reisje maken. Ze zag er nog prima uit voor haar leeftijd, en als ze met een cocktail op het strand zat kwam er altijd wel een man op haar af. Een artikel schrijven over een saunacomplex vlak in de buurt klonk lang niet zo opwindend als het interviewen van verliefde paartjes onder palmbomen aan de rand van een azuurblauwe zee. Ze hoorde in gedachten de golven uitrollen op het oogverblindende koraalzand, terwijl een hele rij Julio's met een cocktaildrankje op haar stond te wachten bij de strandbar.

Hoe dichter Julie de receptie naderde, hoe meer ze begon te verlangen naar de sensuele ervaring van een luxe badmantel op haar naakte huid: haar enige troost op deze eenzame saunadag.

Het sauna-item was niet haar idee geweest, maar dat van haar baas. Hij vond het leuk haar iets te laten schrijven over wellness en alles wat daarbij kwam kijken. Vooral nu er bij Sedna een hooibed in gebruik zou worden genomen.

Nog even en Julie was aan de beurt. Ze had zich natuurlijk al direct bij aankomst naar voren kunnen werken om zich te melden, maar dat op je strepen staan omdat je toevallig als journaliste voor een krant werkt, paste niet bij haar. Zelfs haar perskaart had ze niet meegenomen.

Julie keek naar de sporttas die bij haar voeten stond. Daarin zaten behalve een handdoek en een paar slippers, die ze waarschijnlijk niet nodig zou hebben, haar notitieblok met pen en een boek. Snel had ze alles bij elkaar gegraaid die ochtend en op het laatste moment had ze nog een pakje sigaretten in haar tas gestopt. Zonder een dosis nicotine zou ze de dag onmogelijk kunnen doorkomen.

De receptioniste met het naambordje 'Anika' staarde naar haar computer, één hand om een leeg plastic waterbekertje geklemd en de andere in een aarzelend gebaar boven haar toetsenbord zwevend. Ondanks haar ruimvallende kleding kon Julie de contouren van Anika's lichaam duidelijk zien. Ze moest denken aan de serie artikelen die ze kortgeleden gemaakt had over meisjes met anorexia. De meesten waren tussen de vijftien en negentien jaar oud, maar er zat ook een puber bij van amper twaalf. Openhartig had het meisje Julie verteld hoe ze op het internet was gaan zoeken naar methodes om te kunnen braken en laxeren. Julie had ook lange tijd met de ouders van het kind gesproken. Zij hadden geen flauw benul waar hun dochter mee bezig was en vroegen zich af waarom ze zo mager werd.

Restaurant

Verpakt vlees. Meer kon hij er niet van maken. Kilo's in badjassen verpakt mannen- en vrouwenvlees onder de terrasparasols van het restaurant. Leo keek op de klok boven de bar. Nog anderhalf uur en de serveersters gingen de bestellingen voor de lunch opnemen: salades, pasta's, of de dagschotel, en natuurlijk de glazen prosecco en karafjes wijn. Met een temperatuur als die van vandaag werd er vast flink geconsumeerd.

Elk seizoen had Leo nu één keer meegemaakt bij Sedna. Hij had daarvoor nooit een sauna vanbinnen gezien. En ook nooit eerder had hij zoveel belang gehecht aan de goede afloop van een sollicitatiegesprek. Dagenlang had hij zich voorbereid op zijn ontmoeting met John, de eigenaar, en toen het eenmaal zover was en hij bij de receptie stond voor een eerste gesprek, was hij bijna gaan hyperventileren.

John had Leo's sollicitatiebrief voor zich op zijn bureau liggen toen Leo tegenover hem ging zitten. Hij had hem een drankje aangeboden en vervolgens aan één stuk door vragen gesteld. Waarom Leo zijn baan als zwemleraar in het noorden van het land wenste in te ruilen voor die van schoonmaker bij een saunabedrijf in het zuiden? Of hij een van-negen-tot-vijf-man was, want daar had hij niets aan. Of hij niet vies was van dweilen en het opruimen van rondzwervende haren en andere persoonlijke dingen die de gasten achter hun kont lieten slingeren. Of hij als noorderling zou kunnen wennen aan de wat losser ingestelde zuiderling, of hij wist wat *löyly* was en of hij een man was van de lange termijn. Toen Leo eindelijk Johns lawine van vragen zo goed mogelijk had beantwoord, bleven diens ogen plotseling steken bij de misvorming aan de linkerkant van Leo's gezicht. Leo herinnerde zich hoe hij op dat moment de nagels van beide handen in zijn handpalmen perste, de pijnlijke druk op zijn middenhandsbeentjes opvoerde, en als verstijfd het moment afwachtte waarop John met zijn vraag zou komen. Maar dat deed John niet. John had gekucht, een laatste slok van zijn koffie genomen. Hij stond op en wilde weten wanneer Leo aan de slag kon. Leo kon nauwelijks een zucht van verlichting onderdrukken. 'Je startsalaris mag dan geringer zijn dan je gewend bent,' zei John met zijn grappig klinkende zachte g, waardoor zijn woorden wat minder hard aankwamen, 'maar de baan biedt fraaie groeimogelijkheden. Als je tenminste over een gezonde dosis ambitie beschikt en je flexibel opstelt.'

Op zijn eerste werkdag stelde John Leo voor aan Anika en Josée bij de receptie, aan Berry, de kok, en aan Marius, de saunameester die Finse opgietingen deed, wat hij löyly noemde. John zelf stond meestal achter de bar van het restaurant. Behalve de saunafaciliteiten was er naast de hoofdingang nog een massage- en schoonheidssalon, want de mensen werden steeds veeleisender, meende Berry, volgens wie het hele saunagebeuren een hype was.

De eerste maanden reinigde Leo de gangen, douche- en saunaruimtes. Met een bezweet T-shirt laveerde hij tussen de naaktlopers door en liet zijn blik zo weinig mogelijk naar hun edele delen dwalen.

Na enkele weken sloeg de verveling als een sluipende ziekte toe en begon hij al vegend een studie te maken van de variatie in schaamhaar van de aanwezige gasten. Bij de mannen zagen de haren er meestal uit als een jungle waaruit een kaal boompje stak, maar bij de vrouwen ontdekte hij een intieme vorm van expressie. Sommige vrouwen en meisjes hadden helemaal geen schaamhaar maar een gladde glijbaan, waarvan hij zo opgewonden raakte dat hij na thuiskomst meerdere keren klaarkwam. Dat was het Hollywood-type, volgens Berry. 'Alleen maar een streepje haar in het midden is een Brazilian, breed van boven en smal van onderen heet Driehoek.' Daarna was het even stil geworden. Berry was waarschijnlijk gaan nadenken over het schaamhaar van zijn eigen vrouw, met wie hij al vijftien jaar getrouwd was, want hij kwam plotseling met nog een variant: 'En dan heb je natuurlijk van die hele gewone poesjes, bedekt met heel veel krulletjes, jeweetwel, zo'n kokosmat.' Berry's woorden waren nogal klinisch overgekomen. Hij moest in de loop der jaren immuun zijn geraakt voor al dat bloot. Zelf kon Leo er nog steeds niet aan wennen, en hij vroeg zich af of dat ooit zou gebeuren.

Receptie

10.32 UUR

Met haar onderarmen op de balie leunend, noemde Julie haar naam en die van de krant.

'Oh, jij bent die journaliste die vorige week belde.' Anika controleerde of Julies gegevens klopten, voerde haar e-mailadres in, maakte een saunapasje aan en schoof dat tegelijk met een brochure en een programma over de balie naar voren.

'Je bent een bofkont', zei ze met een ondeugend lachje. 'Er is een leuk programma. Inclusief lunch en diner. En natuurlijk een rondleiding. Maar misschien wil je wel je eigen gang gaan?'

Zonder Julies reactie af te wachten, stond Anika op en pakte een badmantel, twee handdoeken en een stel slippers, die ze samen met een flesje water in een plastic tas met daarop 'Sedna Wellness Center' stopte.

Achter Julie werd de rij alweer langer. Ze zag via de spiegel achter de balie twee jonge vrouwen binnenkomen, duidelijk vriendinnen die samen een gezellig dagje wilden doorbrengen. Achter hen kwam een heel dikke vrouw de klapdeuren door. Ze had moeite het ene been voor het andere te zetten en hijgde van inspanning. Anorexia is een ziekte, dacht Julie, maar obesitas ook. Is het wel verantwoord naar de sauna te gaan als je zo dik bent? Nou ja, dat zullen ze hier toch wel weten? Julie keek weer naar Anika die met een korte beweging van haar hoofd een pluk haar uit haar gezicht schudde.

'Je hoeft je programma maar te volgen. Het wijst zich vanzelf.'

Ze gaf Julie de sleutel van een kluisje en wees naar een deur waarop 'Kleedruimte' stond.

'Even de trap af en daar kun je je uitkleden. Nog veel plezier op het hooibed. Want daar kwam je toch voor?'

De badmantel, waar met gouddraad 'Sedna' op stond geborduurd, voelde heerlijk aan. Het liefst had Julie hem niet meer uitgedaan en was ze met een drankje, een sigaret en haar boek op het terras van het restaurant gaan zitten. Ze sloot haar kluisje, pakte het programma voor die dag en liet er haar blik over gaan. Ze had zich kunnen laten rondleiden door een van de personeelsleden, maar de receptioniste had waarschijnlijk al uit haar blik opgemaakt dat ze alles liever in haar eigen tempo ontdekte. De kleedruimte waar ze zich nu bevond lag schuin onder de receptie, in het souterrain. Er waren behalve douches en toiletten ook ruimtes met haardrogers en spiegels. Het had wel wat weg van een kapsalon. Naast de haardrogers hing een bord met de 'huisregels'. Regel 1: geen mobiele telefoons in de sauna! Ze ging bij een van de spiegels op een krukje zitten en keek naar zichzelf. Door dat rode haar zag ze er een stuk jonger uit, maar een verfrissende gezichtsbehandeling zou haar huid geen kwaad doen. Ze bladerde de brochure door totdat ze een plattegrond vond, ging met haar wijsvinger langs de diverse sauna's, de stoombaden, het buitenzwembad, de relaxruimte, en stopte bij de schoonheidssalon. Die lag naast de hoofdingang. Daar zou ze na het hooibed terecht kunnen. Boven aan het programma stond een welkomstdrankje in het restaurant. Ze pakte haar plastic tas, propte haar mobieltje onzichtbaar tussen de handdoeken, controleerde of ze haar notitieblok met pen en haar boek niet was vergeten en nam de trap naar boven.

Restaurant

10.43 UUR

Leo spoelde bierglazen en keek over de rand van de bar naar de lichamen bij het zwembad. Loom werkten enkele gasten zich uit de ligstoelen omhoog. Nog even en de opgieting kon beginnen. Op normale dagen waren er 's ochtends geen opgietingen, maar vandaag was alles anders. Vandaag zou er een nieuw hooibed in gebruik worden genomen, vandaag was het een feestdag, waarop de organisator wegens de gezondheidstoestand van zijn moeder zelf niet aanwezig kon zijn. De gasten zouden het moeten doen met een surrogaat-John, een tweederangs manager met een duistere achtergrond. Maar daar was John nog niet achter gekomen. Leo had een aantal keren op het punt gestaan hem in vertrouwen te nemen, maar deinsde steeds op het laatste moment terug. Leo voelde of zijn naambordje goed recht zat en inspecteerde zijn vochtige handen. Hij pakte een droogdoek, viste een tandenstoker uit een houdertje, en probeerde nog iets van zijn nagels te maken. Maar hij prikte meteen in zijn huid en gooide het stokertje met een pijnlijk gezicht weer weg.

Zorgvuldig begon hij wat rondzwervende menumappen als een strak pakket ineen te duwen en legde ze aan het einde van de bar. In het glimmende metaal van de Nespresso koffiemachine keek hij in het voorbijgaan nog even naar zijn nek. De vlekken in mijn hals zijn niet opgeklommen naar mijn gezicht, dacht hij. Nog niet.

Een groepje vrouwen liep naar de buitensauna achter op het terrein, waar al een stuk of tien andere gasten stonden te wachten. Leo ontdekte Marius met een emmer met ijsklontjes en een plateau waarop sinaasappelpartjes lagen. De vaten met gearomatiseerd water voor de opgieting stonden al klaar. Dat van die klontjes en partjes hoorde bij de hele Finse ceremonie, had Marius hem geleerd. Na een kwartiertje löyly kwamen de saunagasten naar buiten om wat fruit te eten en af te koelen. Daarna volgde het tweede deel van de opgieting waarbij in de saunaruimte ijsklontjes werden uitgedeeld, zodat daarmee de lichaamstemperatuur wat naar beneden kon worden gebracht. Leo moest aan John denken die nu in het ziekenhuis aan het bed van zijn moeder zat. Hij zag Johns gezicht voor zich, toen hij gisteren via zijn mobiele telefoon het bericht van de hartaanval van zijn moeder doorkreeg. Leo had al hakkelend naar woorden gezocht. Een hartaanval hoefde niet fataal te zijn, zoveel mensen genezen daar weer van, het feestprogramma zou gewoon doorgaan... Daarna was hij een tijdje op het toilet gaan zitten om met zijn hoofd in zijn handen bij te komen, en zijn op hol geslagen ademhaling onder controle te brengen.

John noemde zijn moeder een moordwijf. Een moordwijf. Dat kon Leo van zijn moeder niet zeggen. Die had hem aan zijn lot overgelaten. Zeventien was ze, toen hij ter wereld kwam in een ziekenhuis ergens in het noorden van het land. Hij was geen gedrocht, had geen waterhoofd of een niet volgroeid tweelingbroertje of zusje aan zijn heup hangen, maar voor het medisch team rond het lichaam van zijn hoogzwangere moeder was een ding zeker: een dergelijke vleesmassa kon onmogelijk op eigen kracht een kind ter wereld brengen. Na de geboorte via een keizersnee – nu negenendertig jaar geleden – werd hij als een postpakketje meegegeven aan haar oudere zus. De vrouw, tegen wie hij 'mama' zou gaan zeggen, leek vanaf dat moment compleet van de aardbodem te zijn verdwenen. Tot anderhalf jaar geleden. Leo schudde zijn hoofd, alsof hij zijn gedachten wilde stoppen. Niet aan denken nu, vandaag was hij de manager. Hij moest John laten zien wat hij waard was.

'Feestmenu van de dag: Mexicaanse wrap met kip en ananas.' Berry stond handenwrijvend op de drempel tussen de keuken en de bar en keek aandachtig naar een van de serveersters die het menu met een krijtje op een bord noteerde. Ze schreef in blokletters en aarzelde bij het woord 'wrap'. Het verbaasde Leo niks dat ze haar wenkbrauwen optrok, ofschoon Berry die dingen toch al eerder op het menu had gehad. Het was bij die meisjes het ene oor in en het andere oor uit.

Moedeloos duwde Leo de zoveelste gratis smoothie in een gretige vrouwenhand en liet zijn blik rusten op een vrouw die aan een tafeltje ging zitten op het terras. Haar rode haar golfde over de kraag van haar badjas; Leo had dat altijd al aantrekkelijk gevonden.

Hij zou het wel weten als hij John was: nooit en te nimmer gratis drankjes voor al die gasten die toch wel een consumptie bestellen, en die stagiaires de deur uit en vervangen door goed opgeleid personeel. Hoofdschuddend liep hij naar de cd-speler en zette de muziek in de bar wat harder, net zoals John altijd deed als de gasten binnenstroomden. Maar zijn poging een gezellig sfeertje te scheppen had weinig effect nu de stem van Berry, die het woord 'wrap' wel even wilde spellen, dwars door de muziek heen klonk.

'Dat is dan de W van Willem, de R van Rudolf ... eh ... de A van Anton en ... de P ... van Pieter.' Hij wachtte even, wreef met zijn handen over zijn schort, en vervolgde: 'Ken je die mop trouwens van die Belg en die Hollander die Anton heette?' Het serveerstertje schoot in de lach en schudde van nee. 'Je weet dat "tonton" in het Frans oom betekent? Nou, moet je horen... Een Belg...'

Leo draaide zich snel om, liep naar de spoelbak, en schonk zichzelf wat water in. De naam Anton had hem een rilling bezorgd. Hij hoorde nog de doffe klap van de winkeldeur die Anton dichtsloeg, toen hij tante Anne voorgoed verliet. Voor hem, als veertienjarig jongetje, was dat het startsein van een reeks gebeurtenissen die zijn leven voor altijd zou veranderen. Hij zette zijn glas neer en gooide wat ananas in de blender. Anderhalf jaar geleden had hij besloten een nieuwe richting aan zijn bestaan te geven. Nu moest hij niet met zijn gedachten blijven steken bij iets, waaraan hij niets meer kon veranderen. Hij kon zich beter concentreren op het heden en de toekomst. Moest hij John niet gewoon opbiechten wat hij hier kwam doen? Of zou het al te laat zijn?

❈

Niet te overhaast, zei een stem in haar hoofd. Zojuist was over de intercom de löyle in de buitensauna aangekondigd. Julie sloeg haar boek weer open, slurpte met een rietje de restjes van haar smoothie uit haar glas en nam een trekje van haar sigaret. Achter op het terrein ging een rij mannen en vrouwen met een handdoek het houten chalet van de Finse sauna binnen. Met die opgieting wachtte ze nog even. Die kon heftig zijn, wist ze zich te herinneren van haar sporadische saunabezoeken. Doordat de saunameester water met daarin wat etherische olie over de kachel goot, schoot de vochtigheidsgraad in de cabine snel omhoog, terwijl de temperatuur juist daalde. Maar voor je gevoel werd het steeds heter. Vooral als er met een handdoek werd gewapperd om het vocht door de hele ruimte te verspreiden.

Eigenlijk hoefde ze alleen maar op het terras te blijven zitten met een drankje en een sigaretje en haar herinneringen aan vroegere saunabezoeken laten binnenstromen. Waarom had ze daar niet eerder aan gedacht? Het effect van een sauna was zo persoonsgebonden dat ze er nauwelijks iets zinnigs over kon schrijven. Vanuit welke optiek moest ze haar artikel opzetten? In de media werd je overladen met berichten over ontgiften, onthaasten, ontrimpelen ... daar zaten haar lezers niet op te wachten. Ze moest een kapstok vinden waaraan ze haar verhaal kon ophangen. Iets pakkends, intrigerends. Een inauguratie van een houten hut met daarin een hooibed was niet spannend genoeg. Vreemde ervaringen en ongewone motivaties van saunagasten had ze nodig. Maar wie liet zich in een sauna interviewen?

Ze gluurde over haar boek naar de gasten op de zonnestoelen aan de rand van het zwembad. De meesten lagen al lezend of slapend van de eerste mooie lentedag te genieten. Opvallend veel buiken met kwabben en hangende borsten. Ze schoot in de lach. Haar reportage kon weleens heel wat minder sappig uitpakken dan haar baas had bedoeld.

Zoutsteensauna

11.20 UUR

Na een lauwwarme douche wreef Julie zich met de badhanddoek droog. Ze zat op een bankje bij de ingang van
de zoutsteensauna. Niet de sauna die boven aan haar programma stond, maar ze bezocht liever een voor haar onbekende sauna waarover ze iets kon schrijven, dan een
saaie infraroodcabine waarin je niet eens kon liggen. In
de Sedna-brochure had ze inmiddels zoveel nuttige informatie ontdekt dat ze haar notitieblok alleen nog nodig zou
hebben voor een paar interviews. Het was een kwestie van
destilleren en redigeren geworden. Het verhaal nog een
beetje opleuken door er vraaggesprekken aan toe te voe-
gen met enkele gasten en haar baas zou meer dan tevreden zijn. *In een zoutsteensauna heerst een microklimaat,
net als aan de kust,* las ze zichzelf zachtjes voor. *Er worden zoutkristallen gebruikt uit het Himalayagebergte, die*

bij verwarming een weldadige invloed hebben op de lucht-
wegen en derhalve heilzaam zijn voor mensen met astma.
Julie haalde diep adem bij de gedachte aan gezonde longen, maar hunkerde tegelijkertijd al weer naar een sigaret.

Ze zocht een vrije kledinghaak om haar tas met spullen aan op te hangen en liep met haar handdoek de saunaruimte binnen. Links en rechts lagen op verschillende
niveaus mensen op houten banken. Zeven roerloze lichamen. Op de achtergrond klonk het vrolijke gekwinkeleer
van een vogeltje. Was het niet zo warm geweest dan had
ze zich in een chic mortuarium gewaand met wanden gevormd door roze-oranje kristallen. Ze ging op haar handdoek liggen, stak haar wijsvinger in haar mond en streek
ermee langs een hete steen. Met gesloten ogen likte ze
haar vinger weer af en liet het zout op haar tong branden.
Wat zou er in de hoofden van al die blote mensen omgaan? En aan wie kon ze daarover een vraag stellen?

Restaurant

12.15 UUR

Leo's hele lichaam was klam. Zijn poloshirt plakte onder zijn oksels. Op het terras kon je nauwelijks nog tussen de tafeltjes door laveren en bij hem binnen, aan de bar, was de spanning voelbaar nu een paar vaste bezoekers harder dan noodzakelijk zaten te praten over John, de grote afwezige, die een dag als deze tot een onvergetelijke feestdag had weten te maken. Intussen renden de serveersters af en aan en had hij zelf lamme vingers van het ontkurken van flessen, draaien van schroefdoppen en tappen van glazen bier. Het was verdomme niet makkelijk manager te zijn van een wellness center, ook al was het maar voor één dag. Daarvoor had je blijkbaar de juiste neuronen nodig.

Uit een lade in de bar haalde hij voorzichtig het vel papier waar zijn speech op stond voor die middag en probeerde voor de zoveelste keer de tekst in zijn hoofd te krijgen. Dit waren duidelijk niet zijn eigen woorden, maar die van John. Op dat punt was hij het niet met John eens. Toen het onderwerp speech aan de orde was gekomen, had John hem eerst moeten vragen of hij zelf een idee had voor een aardige tekst. John kwam direct met zijn eigen toespraak op de proppen en liet hem voelen hoe hij over de creatieve kwaliteiten van zijn manager-voor-één-dag dacht.

Een ander onderwerp, waarover Leo het niet met John eens was, was de komst van een journaliste van de streekkrant. John wilde dat mens flink in de watten leggen. 'Met de concurrentie hijgend in onze nek kunnen we wel wat extra publiciteit gebruiken', had hij gezegd. 'Een gaaf artikeltje op de lifestyle pagina van de regionale krant is net zoveel waard als een advertentie op het voorblad. Goed voor onze goodwill.' Daarop had John een verwenprogramma voor de journaliste bij de receptie laten klaarleggen en Anika instructies gegeven voor de ontvangst van de jonge vrouw.

Leo was niet van plan die journaliste achter haar gat aan te lopen en op haar wenken te bedienen. Om onaangename verrassingen te vermijden, had hij zelfs achter Johns rug om aan de receptionistes gevraagd niet te lang bij die dame van de krant aan te dringen op een rondleiding over het complex. 'Journalisten zijn nieuwsgierige mensen en gaan het liefst hun eigen weg', had hij beweerd, zo overtuigend dat zelfs Anika – die hem zelden gelijk gaf – knikkend had ingestemd met zijn woorden.

Jacuzzi

12.17 UUR

Even afkoelen, dan een ijskoude douche, en daarna helemaal volgens de voorschriften een plons in het zwembad.
Julie had haar eigen handige formule ontdekt om de juiste volgorde te onthouden. Je moest de vijf S-en methode
hanteren. Shower-Sauna-Shower-Swimmingpool-Steam-
bath. Ze zou die tip aan haar lezers doorgeven.

Bij het koud afspoelen moest ze even flink doorbijten.
Het liefst had ze willen gillen zoals ze dat als klein meisje deed wanneer ze door haar moeder voor straf onder de
koude waterstraal van de douche werd gezet, maar ze hield
zich kranig en telde van een tot tien en daarna snel van tien
terug naar een. Ze sloeg haar badhanddoek om haar tin-
telende huid en liep naar het buitenzwembad. Het water
voelde als een beloning en na wat baantjes te hebben getrokken, liet ze zich in het warme bubbelbad zakken naast

een vrouw met een chocoladekleurige huid. Het was de vrouw die met haar vriendin achter in de rij had aangesloten, toen Julie door Anika werd geholpen. Misschien kon ze de vriendinnen straks wel even interviewen. Ze waren zo te zien de jongsten van alle bezoekers vandaag.

Met gesloten ogen liet ze de masserende werking van de waterstralen op haar lichaam inwerken. Nog even en ze wilde elke week wel voor de krant een bezoekje brengen aan een sauna. Ze moest denken aan Victor, haar baas, een vijftiger wiens buik zich steeds meer naar de bovenkant van zijn broekriem leek uit te breiden. Victor had nog altijd de gewoonte vlak naast haar te komen staan als ze in diepe concentratie achter haar computer zat te werken, maar ze hoefde zich gelukkig niet langer te ergeren aan het vaatdoekenluchtje dat rond zijn lichaam hing. Ze had zich suf gepiekerd over een tactische manier hem daarover aan te spreken.

Totdat ze op het lumineuze deo-idee was gekomen. Een deodorant zou op zijn minst een einde maken aan de natuurlijke aversie die ze in de loop der tijd voor de man had ontwikkeld. Na enige overpeinzingen besloot ze Victor voor zijn verjaardag een fles Banana Republic te geven, een chic luchtje waarvoor ze flink in haar buidel moest tasten, maar dat had ze er wel voor over.

'Dat had je niet moeten doen, Julie', reageerde Victor met verbazing in zijn stem, zodra hij het goudkleurige cadeaupapier had verwijderd. Hij gaf haar een kus op beide wangen, waarbij ze haar adem nog net op tijd wist in te houden, en zette de flacon tussen de flessen wijn, doosjes sigaren en Ferrero Rocher die een soort kerstpakket op zijn bureau vormden.

Het was een gouden idee geweest. Haar baas begon haar werk vanaf die dag de hemel in te prijzen en hun relatie beperkte zich niet langer tot de redactieruimte, maar zette zich voort op de binnenplaats van het gebouw. Daar stonden ze regelmatig samen in het zonnetje, of onder een paraplu, hun longen te verpesten.

Tijdens een van die rookintermezzo's kwam hij met het idee Julie iets te laten schrijven over Sedna Wellness Center, waar de nieuwste snufjes op het gebied van welzijn werden gepresenteerd. 'Mijn lieve Julie,' had hij gereageerd op Julies opmerking dat ze al jaren niet meer in een sauna was geweest en niet goed wist hoe je daar helemaal alleen de dag moest doorkomen, 'ga jij maar eens lekker uit de kleren. Ze bouwen een feestje bij Sedna rondom een splinternieuwe hooibedhut. Ik heb die eigenaar daar wel eens ontmoet, een echte gangmaker, hoe heet hij ook alweer, John geloof ik. En wie weet loop je er nog een knappe kerel tegen het lijf!'

Zoals gewoonlijk had Julies baas zelf het hardst moeten lachen om zijn woorden. Julie had nog wat tegengesputterd, maar diezelfde middag vond ze een post-it op haar bureau met het telefoonnummer van Sedna. Of ze maar een afspraak wilde maken voor een artikeltje over dat hooibed en de andere faciliteiten, en over de hygiëne in het complex.

Wat Julie tot nu toe gezien had, zag er redelijk schoon uit. Ze had nog weinig haarslierten, stukjes nagel en andere viezige dingen die van gasten afkomstig waren, kunnen ontdekken. Met haar notitieboekje was ze langs de douche- en toiletruimtes gelopen en had cijfers genoteerd die varieerden van zes tot acht. John, de eigenaar, over wie haar baas zo vol lof had gesproken, was ze nog niet tegengekomen. Het liefst schreef ze haar verhaal zonder zijn inmenging. Het was al moeilijk genoeg een objectieve reportage te maken over een product dat je gratis mocht testen.

Het bruisen en bubbelen stopte plotseling om na een korte pauze weer op gang te komen. Julie moest moeite doen op haar plek te blijven, zo sterk was de waterstraal tegen haar bovenbenen. 'Goed voor de cellulitis', zei de donkere vrouw naast haar. Ze lachte naar Julie met haar volmaakte gebit en hervatte haar gesprek met haar blonde vriendin.

Julie deed haar ogen half dicht en liet de zon op haar huid prikkelen, toen ze plotseling een schaduw over haar lichaam voelde glijden. De reling van het trappetje naar het bubbelbad werd beetgegrepen door een hand met worstenvingers, die langzaam naar beneden gleden. Een gestalte met borsten als ballonnen liet zich voorzichtig zakken, waardoor er grote hoeveelheden water over de rand van het bad in een rooster klotsten.

In een reflex betastte Julie onder water haar eigen borsten. Zij moest het duidelijk hebben van haar groene ogen. En van haar rode haar. En van de hersens die daaronder zaten. Maar die laatste vormden steeds vaker een handicap bij het leggen van contacten. Ze was te kritisch en te veeleisend. Een relatie vond ze alleen boeiend als ze er iets van kon leren. Toch jammer van die Julio. De dikke vrouw, die ze al bij de ingang had gezien, installeerde zich puffend tegenover Julie. Ze keek haar niet aan. Terwijl het klotsende water langzaam tot rust kwam, stak Julie speels haar rechtervoet boven het water uit en telde haar tenen in het Spaans. Van een naar vijf en daarna terug van vijf naar een.

Receptie

12.21 UUR

Leo moest ook overal tegelijk zijn. Straks liep de boel nog in het honderd. Hij controleerde bij de receptie de vakken met handdoeken en badjassen en ordende de stapels netjes, zodat er geen ceintuurtjes of puntjes uitstaken.

Hij meed het liefst de minst magere van de twee receptionistes. Ze liet overal van alles slingeren en propte zodra het wat drukker werd de badjassen nonchalant in de vakken. Anika was heel anders. Ze leek op een pauw met haar felle ogen en sierlijke manier van lopen. In een rare gedachtekronkel had hij zich weleens afgevraagd hoe ze er naakt uit zou zien. Ze kon wel wat meer vet gebruiken, maar hij mocht haar wel. Vooral nu zij het met hem eens was over de behandeling van die journaliste van de streekkrant. Daar had hij trouwens niets meer over gehoord. Zou ze er al zijn? Misschien had dat mens rechtsomkeert gemaakt toen ze merkte dat ze geen rondleiding kon verwachten.

Onbetrouwbaar, die mensen van de pers. Als je ze niet met koninklijke egards behandelde, kreeg je een rotstuk in de krant over je zaak. Eigenlijk liet John zich in de maling nemen. Het was gewoon chantage. Een verwenprogramma. Het moest niet gekker worden.

'En? Heb je haar al ontmoet?' Anika stond op van haar kruk achter de computer, zodat haar collega haar taak kon overnemen en zij zich kon concentreren op de verkoop van luxe artikelen, zoals body scrubs, liftende crèmes en peelings. Vooral klanten die in de beautysalon waren geweest, gingen makkelijk over tot de aankoop van prijzige artikelen.

Leo stopte met het in de vakken duwen van stapeltjes badhanddoeken en draaide zich naar haar om. 'Die journaliste bedoel je? Is die er dan al?' Hij trok zijn poloshirt recht en voelde of zijn naamplaatje nog goed zat.

De rij wachtenden was flink geslonken. Goede vondst, dat hele saunagedoe, bedacht hij. Bij sommigen straalde de stress van het lichaam als ze binnenkwamen. Niemand had ooit kunnen bewijzen dat al die geurtjes en die hete lucht goed waren voor je lijf. En dan moest je maar niet te veel nadenken over die massa's bacteriën die al die gasten met zich meezeulden en die in de warme, broeierige omgeving goed konden gedijen. Maar zolang de schijn gewekt werd en de gasten heerlijk in hun eigen zweet konden baden om daarna met dure drankjes het lichaamsvocht weer op peil te brengen, bleef Johns kassa vrolijk rinkelen. Toch zou hij niet terug willen naar zijn baantje in het zwembad in het noorden. Er ging een zekere dominantie uit van zijn Sedna kleding te midden van al die naaktlopers.

'Leuke meid hoor, die journaliste. Een rooie, jaar of vijfendertig', zei Anika. 'Er komt ook nog een fotograaf, zei ze, voor wat naaktfoto's. En ze wil dolgraag een rondleiding van jou. Ook naakt.'

Leo deed zijn best zo ernstig mogelijk te kijken. 'Daarover wilde ik het nou net even met je hebben.'

'Oh? Waarover dan?'

'Nou, dat het tijd wordt dat jij zelf ook eens het product op zijn waarde gaat testen. Volgens mij heb jij veel meer in huis dan alleen het tikken op die computer en het verkopen van toverzalfjes.' Hij gaf Anika een kneepje in haar wang, keek nog even of er niets uit de vakken puilde, en verdween neuriënd in de richting van het restaurant.

Restaurant

13.10 UUR

Risotto di mare. Onder een parasol op het terras van het restaurant had Julie de drie woorden een paar keer zachtjes uitgesproken, voordat ze besloot het gerecht te bestellen. Sensueel, sexy klonk het. Risotto di mare, per favore. Op een Vespa slalommen door de straatjes en steegjes van Rome hoorde daarbij. Met op elke heup de warme hand van een Italiaanse lover. Geen Julio maar een Flavio.

Ze had geduldig moeten wachten tot er een tafeltje vrijkwam en nu de serveerster de bestelling eenmaal had gebracht, speet het haar niet beter te hebben nagedacht bij het woordje 'mare'.

Aarzelend pakte ze haar vork en versleepte een stukje zalm vanuit de papperige rijst naar de rand van het bord. De rimpelige huid van de vis deed haar denken aan de opmerking van de donkere vrouw in het bubbelbad. Roze-kleurige cellulitis zou zij in ieder geval niet krijgen.

Losjes gedrapeerd over de rijst lagen vier mosselen, lichtoranje van kleur. Julie tikte met het puntje van haar mes tegen de franje in het gapende gat van een van de mosselen en prikte hem aan haar vork om hem van alle kanten te kunnen bekijken. Een mossel heeft een mond, net als wij, dacht ze. En een anus die dient als uitlaadklep voor giftige algen en andere troep die hij in het zeewater opslokt. Ze kreeg een vieze smaak in haar mond. Dus als de darmen van zo'n mossel niet helemaal leeg zijn, dan...

Ze liet de mossel weer vallen en dwaalde verder met haar vork. Boven op de rijstheuvel torenden enkele reu-zengarnalen. Met hun weerloze, wanhopige kraaloogjes maakten ze het drama op haar bord alleen nog maar er-ger. Want werden die diertjes niet levend in kokend wa-ter gegooid?

Ze sloeg haar badmantel ver genoeg open om vrijer te kunnen ademhalen, duwde de risotto van zich af en viste met twee vingers een cherrytomaatje uit het schaaltje Tos-caanse salade dat ze had samengesteld aan het buffet. Spe-lend met het balletje tussen haar tanden, liet ze het geroe-zemoes van de overige gasten op het terras langzaam op zich inwerken. Iedereen leek van het weer te profiteren. Al-leen het personeel was druk in de weer in het restaurant.

Achter de bar stond een man met een vreemd kapsel driftig drankjes in te schenken, terwijl een serveerster met haar vingers trommelend op een barkruk wachtte tot hij daarmee klaar was. Deze man is geen gangmaker. Dat zie je van mijlenver. Dit kan John nooit zijn, dacht ze.

'Leo van 't Sant', hoorde Julie de man zeggen. Waarbij hij de nadruk legde op de S van Sant. 'Leuk met u kennis te maken.'

Zie je wel. Dit is inderdaad niet John. John gaat niet met een bezweet hoofd glazen staan vullen achter de bar. John blijft daar kalm onder. Anders had hij een dergelijk bedrijf op zijn leeftijd niet weten op te bouwen.

Ze had op de redactie wat voorbereidend werk verricht en ontdekt dat John drieëndertig was, getrouwd, met twee kinderen. Een ambitieuze, jonge zakenman met avant-gardistische ideeën, stond er ergens over hem geschreven. Julie keek naar de man die zojuist aan het tafeltje naast haar was komen staan en zich had voorgesteld aan een gast met een zwierige snor. Hij droeg een poloshirt van Sedna Wellness Center waarop ter hoogte van zijn rechterborst een bordje zat met zijn voornaam: 'Leo'. Met een schuin hoofd luisterde hij naar een van de beide vrouwen die ook aan het tafeltje zat. Daarbij liet hij zijn blik van tijd tot tijd dwalen naar de aanwezigen op het terras. Het was alsof hij keek zonder echt iets te zien. Zijn ogen hadden dezelfde kleur als het water van het zwembad en zijn haar was vlassig. Opvallend waren zijn handen, beide gebald tot een vuist.

Maar eigenlijk was het iets heel anders waar ze haar ogen niet meer van af kon houden. Dat zijn kapsel haar was opgevallen toen hij achter de bar stond, bleek van dichtbij met de afwezigheid van haren aan de linkerkant van zijn gezicht te maken te hebben. De linkeroorschelp van de man was niet meer dan een stompje. Daaromheen kleefde een kauwgomachtig pakketje draadjesvlees. Ze sloot haar ogen om het beeld in zich op te nemen. Leo. Waar had ze die naam eerder gehoord? Leo en zijn rare oor. Ze keek weer op, liet het laatste cherrytomaatje uit haar salade kapot knallen in haar mond en moest opeens vreselijk hoesten.

Directiekamer

Johns kantoor bood een weids uitzicht op de tuin van het saunacomplex. Er groeiden heesters, die ook in de winter mooi groen bleven, elfenbloemen, helleborussen, hortensia's, en tot ver achter de opgietsauna liep een vakkundig gesnoeide buxushaag, die de saunagasten voor de nieuwsgierige blikken van buitenstaanders moest behoeden. Op het gazon, te midden van de ligstoelen, stond op een sokkel een levensgroot beeld van Aphrodite.

'Ga jij maar rustig nadenken over die speech', had Anika goedkeurend naar Leo geknikt, terwijl ze haar nagelvijltje terug in een lade onder de computer had gestopt. 'Het is hier toch een dooie boel. Trouwens, er kan niemand meer bij.' Ze had een pinnige blik geworpen op haar collega die bezig was met het rangschikken van potjes dermabrasie crème in een van de schappen achter de receptie.

Leo moest zijn toespraak voor de opening van de hooibedhut nog een laatste keer goed doornemen en had Anika gevraagd even voor hem in te vallen in het restaurant.
Niet alleen Johns reputatie staat op het spel vandaag,
dacht hij, maar ook die van mij. Er wordt met meer dan
normale belangstelling gekeken hoe ik het ervan afbreng.
Als deze dag goed verloopt, dan trek ik de stoute schoenen
aan. Dan zal John wel naar mij willen luisteren.

Op het terras had hij onverwachts kennisgemaakt met
enkele van Johns vrienden van zijn middelbare school.
Terwijl ze hem hadden verteld hoe geweldig en pienter
John was in de tijd dat hij nog Johnny heette, zag hij voor
zich hoe die vrienden thuis op de veranda van hun villa de
ijsblokjes in hun whiskyglas lieten applaudisseren bij elke
opgaande beweging van de aandelen op de beurs. Patsers
waren het. Patsers met blablaverhalen. Ze wisten niets
van de ziekenhuisopname van Johns moeder en hij had
zijn best gedaan tijdens het gesprek zo losjes mogelijk over
te komen. Als hij aan Johns leven dacht, zag hij een kleu-
renfoto, zijn eigen bestaan was een zwart-witplaatje. Hoe
zou dat ooit samen kunnen komen?

Leo stond met zijn handen in de zakken voor het raam,
precies op de plek waar John ook graag stond. 'De godin
van de liefde, jongen', had John geantwoord, toen Leo hem
eens vroeg waarom Aphrodite een stuk van een onderarm
miste. 'In de liefde is het toch ook niet altijd koek en ei?' Op
dat moment had Leo een steek gevoeld bij zijn slaap en zijn
ademhaling was pas weer rustiger geworden, toen in Johns
broekzak het riedeltje afging van zijn mobiele telefoon.

Leo ging op de bureaustoel zitten en liet zijn handen over het leer van de armleuningen gaan. Automatisch werd zijn aandacht getrokken door de grote familiefoto aan de wand tegenover hem. Hij had vaak naar de foto gekeken, maar altijd vluchtig, in het voorbijgaan, en nooit zoals nu, vanuit Johns stoel. De foto liet een lachende John zien op het dek van een schip, nonchalant met zijn rug tegen de reling leunend, met naast hem zijn vrouw en zijn beide dochtertjes. Een gevoel van saamhorigheid en geborgenheid straalde van de vier gezichten. Hij vroeg zich af wie de foto had genomen. Lach je zo onbevangen naar een vreemde, een toevallige voorbijganger op een cruiseschip? Of waren ze niet met zijn vieren geweest en was de foto gemaakt door een familielid, iemand die er vanzelfsprekend bij hoorde, een vertrouwd iemand die de beide meisjes 's avonds voorleest in hun hut terwijl papa en mama nog even van een drankje genieten in de bar. Door Johns moeder? Leo keek op zijn horloge. Nu was John toch al minstens twee uur in het ziekenhuis, schatte hij. Hij keek op het schermpje van zijn mobiel. Geen berichten.

Op het bureau lagen mappen, krantenknipsels, wat brieven onder een presse-papier, en twee geopende enveloppen, waar de inhoud nog inzat. Leo pakte de briefopener die ernaast lag bij de snijkant beet en hield het handvat voor zijn gezicht. Gelukkig waren de vlekken in zijn nek nog maar nauwelijks zichtbaar. Hij glimlachte naar de weerspiegeling van de man die voor één dag manager mocht spelen in een van de mooiste wellness centra van het land. Hij moest denken aan de eerste ontmoeting met John, die met eenzelfde glimlach op hem af was gekomen bij de receptie. John had toen een document onder zijn arm gehad, waarop de naam Leo van 't Sant stond met daaronder een hele reeks aantekeningen over god-mag-weten-wat.

Hij duwde zijn vingers dieper in het leer van de armleuningen en nam het vertrek in zich op. Zijn personeelsdossier moest hier, ergens in dit kantoor, zijn opgeborgen. Behalve het bureau waar hij aan zat, was er een zithoek met een lage tafel, waarop een groot veldboeket prijkte, en tegen de achterwand van het vertrek stond een kantoorkast. Zou John weten met wie hij te maken had, en was hij zo koel dat hij Leo's spel meespeelde?

In het bureau zaten twee lades. De onderste, de grootste van de twee, zat op slot. Hij trok de bovenste lade open en zocht voorzichtig met zijn hand naar een sleutel. John had hem waarschijnlijk verstopt. Hij duwde zich langzaam op uit de stoel en liep naar de kast. Voordat hij hem opentrok, controleerde hij of iemand hem vanuit de tuin op deze plek kon zien staan, maar het enige wat hij zelf kon waarnemen tegen een achtergrond van planten en struiken waren de stenen borsten van Aphrodite met daarboven haar gebogen hoofd.

In de kast waren hangmappen, op alfabet, met bij de S een serie dossiers over saunakachels, sauna-oliën en -kruiden, sauna-kleurentherapie, sauna en gezondheid en een gedeelte met technische gegevens voor het bouwen van saunaruimtes. Over Van 't Sant, of sollicitaties, was niets te vinden. Hij zocht bij de T, hoewel hij dat niet erg logisch vond, maar daarin zaten tekeningen voor de tuinaanleg en de infrastructuur van het terrein.

Net toen hij de deur van de kast wilde sluiten, klonken er voetstappen in de gang. Het geluid van voeten die steeds dichterbij kwamen en vlak bij het kantoor stilhielden. Hij bleef doodstil staan en zocht als een razende naar een reden waarom hij juist op dit moment op deze plek moest zijn, terwijl er in het restaurant nog genoeg te doen was.

❈

'Directie', stond er op de deur. Julie hief haar hand op om aan te kloppen, maar haar arm bleef midden in de beweging steken. Ze kon beter even wachten met het interviewen van John. Hij zou op het idee kunnen komen haar alsnog een rondleiding aan te bieden.

Na de hoestbui was ze naar het toilet gesneld om water te drinken en haar gezicht op te frissen. Op de weg terug naar het restaurant belandde ze plotseling in een gang, waar ze nog niet eerder had gelopen. De vloer was er niet vochtig, maar droog, en alleen de geur van etherische oliën deed je beseffen dat je niet in een gewoon kantoorgebouw was maar in een sauna.

Ze dacht opnieuw aan Leo's oor en begon weer te trillen. Ze was nog niet toe aan een professioneel interview met John. Ik moet eerst orde scheppen in mijn hoofd, sprak ze zichzelf toe. Plaatsmaken voor herinneringen aan een zekere Leo, herinneringen die ik al jaren geleden heb weggestopt in de prullenbak van mijn brein. Ze keek weer naar het bordje 'Directie'. Het was stil achter de deur. Het enige geluid dat hoorbaar was, was het knorren van

haar maag. Ze moest hier niet langer blijven rondlumme-
len maar als de duvel terug naar haar plekje op het terras,
voordat het door anderen werd ingepikt.

Toen ze eindelijk de weg terug had gevonden naar het
restaurant, zag ze van verre twee bekende gezichten aan
haar tafeltje. Haar eigen stoel was nog leeg, met haar badhanddoek over de leuning geslagen, maar daarnaast zaten
de donkere vrouw uit het bubbelbad en haar blonde vriendin. Leo was nergens meer te bekennen.

❈

Leo's handen leken aan de kastdeur vastgenageld. Zodra
de voetstappen verdwenen waren, deed hij de kast zachtjes dicht en ging hij weer achter het bureau zitten. Als in-
terimmanager had hij een excuus hier te zitten, vond hij,
wie er ook aan de deur mag zijn geweest. Hij sloeg het
vel papier waarop zijn toespraak stond open en probeerde zich te concentreren op de tekst. John lachte hem nog
steeds vriendelijk toe vanaf de reling van het cruiseschip.
Zijn ogen leken nog feller blauw dan gewoonlijk. Zijn don-
kerblonde haar krulde nonchalant rond zijn gezicht en
zijn zonnebril stak half uit het borstzakje van zijn shirt.

Verdomme. Dat hij daar niet eerder aan had gedacht.
Toen John en hij vanochtend vroeg het programma voor
vandaag doorspraken, had hij vlak voor zijn vertrek de onderste lade van zijn bureau op slot gedaan en het sleuteltje
in het borstzakje van zijn overhemd gestopt. 'Je kunt nooit
weten wie er zijn neus steekt in zaken die hem niks aangaan', had John gezegd.

Mijn papieren zitten gewoon veilig opgeborgen tussen de gegevens van andere personeelsleden, dacht hij. Waar maak ik me druk om? John zal nooit de leiding van de sauna overlaten aan iemand van wie hij de voorgeschiedenis duister vindt. Mijn curriculum vitae is net zo alledaags en weinig opwindend als dat van de overige medewerkers van het bedrijf. John weet van niks, stelde hij zichzelf gerust.

DE HOOFDMEESTER

✷

'Sluit jij de winkel even af?' Leo aaide Duko nog een laatste keer over zijn warmwollige vacht en stopte hem terug
in zijn hok. Boven zijn hoofd werd tegen het raam getikt.
'Heb je me gehoord, Lee?' Hij blikte omhoog en zag zijn
oma met een handdoek om het hoofd geslagen voor het
venster van haar slaapkamer staan. Ze maakte een inge-
wikkeld gebaar met haar handen en mimede het woord
s l e u t e l. Leo knikte. Alsof ik niet weet waar de sleutel van de winkel ligt, dacht hij. Ik ben al tien, dat weet ze
toch wel.

Schoorvoetend verliet hij de binnenplaats en liep naar
de bijkeuken, waar hij de zak konijnenvoer terugzette op
het schap. Het was stil in huis. De machines in de stomerij zwegen na een dag van noeste arbeid. Leo duwde zijn
neus in de blonde haartjes op zijn arm. Ze hadden gelijk

op school. Hij rook naar wasbenzine en andere vieze middeltjes waarmee je vlekken kon verwijderen. Zolang hij in de stomerij woonde, zou de stank niet meer weggaan uit zijn haren en huid.

Op de toonbank, onder de kassa, viste hij met zijn vinger de sleutel van de winkeldeur tevoorschijn en sloot die aan de binnenzijde af. Twee keer draaien, twee keer draaien, stampte zijn hoofd. Niet vergeten. Van opa Bart moest hij twee keer draaien.

Meestal sloot Leo's grootvader zelf de deur van de stomerij, maar kort voor sluitingstijd moest hij plotseling nog even met zijn bestelbusje naar een klant. 'Wat ben je toch hardleers, jongen', had hij laatst geroepen, toen Leo voor de zoveelste keer de deur met een handomdraai had dichtgemaakt. 'Twee keer draaien, heb ik je toch gezegd? Hoe vaak moet ik het nog herhalen? Het is net als op school. Je doet maar wat.'

Leo had niet durven vragen waarom de sleutel twee keer gedraaid moest worden, als de deur na een keer draaien toch al dicht zat. Zijn grootvader had altijd gelijk, vooral als hij naar drank rook en zijn dreigementen wel tien keer herhaalde. Hij was al zolang Leo zich kon herinneren woedend over de hardleersheid van zijn enige kleinkind. Leo probeerde zich altijd maar zo klein mogelijk te maken.

Boven zijn hoofd tikten oma's hakken op de houten vloer. Ze had haar haren gewassen en kleedde zich nu om. Straks, na het eten, zou ze bij het vallen van de avond over de Brink naar zijn school lopen om daar met de juf over zijn gedrag en zijn cijfers te gaan praten. Teleurgesteld zou ze daarna weer in het licht van de lantaarnpalen teruglopen naar huis, waar opa Bart haar op zou wachten met de vraag: 'En? Zeg het maar meteen.' Oma zou proberen de eerste schok op te vangen, ze zou hem als een moeder in bescherming nemen. Ze was de liefste oma van heel Esveld en ver daarbuiten.

Leo liep naar boven, naar zijn kamer, en ging aan zijn tafeltje zitten. Voor hem lag zijn huiswerk, keurig op een stapel, net zoals de schone gordijnen op de planken achter de toonbank van de stomerij.

Hij draaide zijn arm en drukte voorzichtig met een vinger tegen de pleister op zijn elleboog. De wond deed nog steeds pijn. Ze hadden hem vandaag weer bij het schoolhek op staan wachten, de jongens die 'bastaard' naar hem riepen. Hij had zich verweerd, hij had getrapt en geslagen, en op dat moment was de hoofdmeester verschenen en moest hij bij hem in zijn kamer komen.

De hoofdmeester had hem een stoel aangeboden tegenover zijn grote bureau en gevraagd hoe het ging met de stomerij en of er veel klanten waren, en of er elke avond voldoende vlees en groente op tafel kwam. Hij had een papieren zakdoekje uit de zak van zijn broek gehaald om tegen de bloedende elleboog te houden en hem onderzoekend aangekeken, tot hij met een schouderophalen reageerde op vragen die niemand hem ooit eerder gesteld had.

Op weg naar huis had hij duizend-en-een smoesjes verzonnen voor de vurige plek op zijn arm en de bloedspetters op zijn broek. 'Bij het voetballen op het speelplein' had hij geantwoord op oma's vraag waar hij die lelijke wond op zijn arm had opgelopen.

Leo keek naar de tekening aan de wand die hij op vijfjarige leeftijd gemaakt had en die oma voor hem had ingelijst en opgehangen. Een hele bijzondere tekening had ze het gevonden. Een kostbare herinnering voor later als hij groot was. 'Je bent echt een kind van je moeder, lieverd. Je mama was altijd in de weer met potloden en pennen.'

Op de tekening stond een kind midden in een veld met in zijn hand een grote rode bloem aan een lange groene steel. Het kind hield de bloem boven zijn hoofd, waardoor hij beschut bleef tegen de regen die met grote vlagen uit een onweerswolk neerstortte. Het kind was hijzelf, de regen was het verdriet om het gemis van zijn moeder, de bloem was zijn grootmoeder. Maar dat alles had hij oma nooit verteld.

Restaurant

13.25 UUR

Op het terras maakte Julie kennis met Eve en Narcissa, die daarbij half opstond zodat haar donkere borsten bijna uit haar badmantel wipten. 'Ik hoop niet dat je ons brutaal vindt', zei ze. 'Dit was het enige vrije plekje.'

'Liever jullie dan een rare snoeshaan', vond Julie, en ze ging bij de twee vriendinnen aan tafel zitten.

'We vroegen ons natuurlijk wel af van wie die handdoek was over die rugleuning. Je weet maar nooit.' Eve wierp een veelzeggende blik naar haar vriendin, die haar wenkbrauwen fronste.

'Hoezo? Vertel eens.' Julie strekte haar rug en kreeg even de neiging pen en papier erbij te pakken. 'Hebben jullie dan iets spannends meegemaakt in een sauna?'

Narcissa keek zwijgend voor zich uit en haalde quasi onverschillig haar schouders op. 'Spannend, spannend.

Zo zou ik het niet willen noemen', reageerde Eve. Ze bood Julie een sigaret aan en liet zich weer in haar stoel zakken. 'Eerder iets onplezierigs dan iets spannends. Vertel jij het maar, Cis. Jij was er het meest bij betrokken.'

'We zouden samen van een relaxed dagje sauna genieten, weet je nog?' reageerde Narcissa, geïrriteerd. 'Zo wordt het niks. Kom laten we iets gaan eten. Het is al bij halftwee, mijn maag knort.' Ze wenkte een serveerster en maakte samen met Eve een keuze uit het menu.

Een beetje teleurgesteld bestelde Julie voor alle drie een prosecco. Nou had ze bijna een smeuïg onderwerp voor haar artikel bij de kop, en nu wilden de dames het niet aan haar vertellen. Vanuit haar ooghoeken keek ze rond of ze Leo ergens zag. Was het hem nou echt of was het toch een ander? Ze kon de gedachte aan het litteken niet loslaten.

'Ga je altijd in je eentje naar de sauna?' wilde Eve weten. 'Lijkt me niks aan.'

'Liever alleen dan met mijn baas', zei Julie.

'Met je baas?' Narcissa keek met haar grote bruine ogen afwisselend Eve en Julie aan. Haar donkere gelaatskleur leek een fractie van een seconde te verbleken. 'Niemand... niemand wil toch met zijn baas naar de sauna?' stamelde ze.

Eve schoot in de lach. 'Cis, vertel Julie nou maar wat je hebt meegemaakt. Zo erg was het nou ook weer niet, toch?'

De serveerster zette drie glazen prosecco op tafel. 'Aangeboden door Sedna', zei ze met een vrolijke glimlach.

'Nou, nou. Je lijkt wel een vip', merkte Eve op. 'Wie is je baas dan wel, als je zo als een prinsesje wordt behandeld?'

'Ik moet een artikel schrijven over deze sauna. Voor de *Heuvelland Post*. Misschien had mijn baas best mee ge-wild. Weet niet.' Julie nipte van haar glas prosecco en liet de bubbeltjes aangenaam kriebelen in haar mond. 'Liever niet.'

'Dus jij gaat alles noteren wat wij er uitflappen...' Nar-cissa keek Julie argwanend aan en kroop dieper weg in de kraag van haar badjas.

'Alles, ja', lachte Julie plagerig, en ze trok met haar tong langs haar lippen. 'Wees maar niet bang, hoor. Ik zou je verhaal kunnen verwerken in mijn artikel. Zonder echt namen te noemen.' Ze nam een trek van haar sigaret en liet de rook langzaam ontsnappen. 'Is dat wat?'

Narcissa aarzelde. 'Dus geen namen, zei je...'

'Wel gefingeerde namen natuurlijk, anders wordt het te algemeen. Ach, je begrijpt het wel. Jullie lezen toch ook graag iets wat echt gebeurd is? Werkelijkheid is vaak veel opwindender en extremer dan fantasie.'

Eve knikte instemmend. 'Toe nou maar, Cis. En als hij zichzelf erin herkent, nou wat dan nog? Hij heeft er zelf om gevraagd. Toch?'

❉

Nog een halfuur, en dan kon de feestelijke opening van het hooibed chalet beginnen. Leo was teruggekeerd achter de bar en legde de gebruikte menumappen keurig op een sta-pel. Los van wat gebroken glazen was de lunch goed ver-lopen. De meeste gasten lagen te genieten van de zon op de relaxweide, en uit te buiken van de exotische gerechten die Berry wist te bereiden. Aan een paar terrastafeltjes zaten nog wat mensen te eten.

'Ken je je tekst wel?' vroeg Berry vanuit de deuropening naar de keuken. Leo schrok van de directheid in Berry's stem. Van Berry had hij nooit goed hoogte kunnen krijgen, Berry had af en toe een schuine mop, ging amicaal om met de serveersters, maar Leo zag hem er ook toe in staat hem op een verloren moment te volgen naar het kantoor van John om te controleren wat hij daar aan het doen was.

'Ik heb nog een halfuur.'

Berry kwam de bar in lopen en wees met zijn hoofd naar de mensen in de ligstoelen, sommigen met hun badjas aan of een handdoek om, anderen geheel naakt. 'Volle bak vandaag', zei hij spottend. 'Met veel overgewicht.'

Leo probeerde geen acht op hem te slaan en ging door met het stapelen van de mappen. Als hij de gasten ook nog in de gaten moest houden, kwam er helemaal niets meer terecht van leidinggeven.

'Jee. Mijn god. Heb je dat gezien? Een breedbeeld tientonner', zei Berry. Hij kwam naast hem staan en maakte een klakkend geluid met zijn tong. 'Nog nooit zoiets vets gezien in mijn leven. Hoe zou dat zijn in bed?' Hij stopte zijn rechterwijsvinger in zijn dichtgevouwen linkerhand en trok die daarin langzaam op en neer.

Leo keek op om te zien waar Berry zo opgewonden van raakte. Aan de rand van de weide lag een vrouw met een roze zonnebril op. Haar lichaam veroorzaakte een diepe krater in het textilene doek van de ligstoel en strekte zich als een golvend landschap uit vanaf haar nek tot aan haar enkels. Een been steunde op het gras, het andere op de stoel. De badhanddoek die om haar middel lag, was half opengevallen en boven in haar linkerlies zat een enorme moedervlek die veel weg had van een vlinder, of een vleermuis.

Leo's adem stokte. De stapel menu's glipte uit zijn handen en viel met een doffe klap op de grond. Berry keek hem verwonderd aan. Leo voelde de rode vlekken in zijn hals in razend tempo opkomen. Hij keek nog eens naar de vrouw, haalde diep adem en liep mompelend weg.

De stomerij

Later, als hij groot was, wilde hij niet het beroep van zijn grootvader uitoefenen. Dat wist Leo zeker. De misselijkmakende stank in de werkruimte tussen het woonhuis aan de achterzijde en de winkel aan de straatzijde, deed hem denken aan rottende, platgereden eekhoorntjes en egeltjes waarvan de korsterige, bebloede bekjes nog schreeuwden om hulp.

Leo schoof de in plastic verpakte gordijnen op de bovenste plank achter de toonbank en bedacht dat hij vorig jaar nog een krukje nodig had om zo hoog te kunnen reiken. Hoe vaak had hij hier niet staan wiebelen met de blikken van wachtende klanten op zich gericht om de nog lauwe gordijnen op een stapel te leggen. Al zijn vrije zaterdagen en alle schoolvakanties moest hij eraan geloven, en meehelpen in de zaak.

'Een zaak als de onze,' had opa Bart eens beweerd toen hij tegensputterde, 'is op het BID-principe gebaseerd, mijn jongen: Betrouwbaarheid, Inzet en Duurzaamheid. Onthou dat maar goed, want dat is de filosofie achter ons familiebedrijf.' Hij nam een lange trek van zijn sigaar en liet – terwijl hij zijn ogen toekneep – de rook in kringeltjes ontsnappen. 'En daarom moet jij, Leo, je best doen op school en goede cijfers halen, zodat je op een dag de stomerij, die door je overgrootvader is opgericht, kunt voortzetten.'

Als hij daar rijp voor was, zou zijn grootvader hem de werking van de reinigingsmachine, het gebruik van de detacheertafel, en het strijken en persen laten zien. De vraag of hij wel geschikt was voor het runnen van een stomerij, werd door niemand gesteld, behalve door Anton, de man van zijn tante Anne. Maar Anton deed dat nooit waar zijn schoonvader bij was, bang als hij was voor diens scherpe tong.

Leo duwde het laatste pakket gordijnen op zijn plek en keek opzij, naar zijn tante, die stond af te rekenen met een klant. Ze leunde daarbij met een hand op de toonbank, terwijl de andere het wisselgeld uit de kassa haalde. Haar enkels waren dik en gezwollen, zodat ze over de rand van haar platte schoenen puilden. Ze droeg vandaag een namaak bloem op haar borst, waarin het getal 30 stond.

Met tegenzin had hij haar die ochtend gefeliciteerd en een kus op beide wangen gegeven, zo voorzichtig mogelijk bukkend, bang als hij was voorover te vallen en te worden opgeslurpt door het vlezige monster dat voor hem zat.

Tante leek op een Michelinmannetje in een jurk. Ze was drie jaar ouder dan zijn moeder Iris. Tenminste, als zijn moeder nog in leven was. Niemand wist waar ze was, of in ieder geval, niemand had hem ooit laten weten waar ze was. Ze moest nu zevenentwintig zijn, en had hem dus gekregen toen ze pas zeventien was. Dat had hij wel kunnen achterhalen.

Hij schaamde zich voor zijn tante, zoals hij zich waarschijnlijk ook geschaamd had voor zijn moeder. Maar als hij moest kiezen, dan had hij haar toch liever niet willen missen. Die schaamte nam hij dan op de koop toe.

Die ochtend had hij zijn oma, terwijl ze in de stomerij bezig was met het spannen van een jasje op de stoompop, een vraag gesteld over iets wat hem de laatste tijd niet meer losliet. 'Ben ik een wees?' vroeg hij haar plotseling.

Oma keek verbaasd op van haar werk. Hij had ook kunnen vragen of hij een bastaard was, maar dat hoefde niet, op die vraag hadden de etterbuilen op school al een antwoord gegeven.

'Hebben ze dat tegen je gezegd? Wie zegt dat, Lee? Laat je toch niet van alles wijsmaken!' Oma liet de pop abrupt los en pakte hem met haar warme handen bij zijn schouders beet. Ze schudde hem zachtjes door elkaar, alsof ze hem wakker wilde maken uit een akelige droom.

'Natuurlijk ben jij geen wees. Je bent wees als je geen vader en moeder hebt.'

De trommel van de reinigingsmachine draaide net als altijd dreunend zijn cyclus af, terwijl oma's woorden naar het plafond opstegen, tegen de muren aanklotsten en samengepakt tot een gebalde vuist weer bij Leo belandden.

'Dus toch', prevelde hij.

'Jij hebt gewoon een vader en een moeder, Lee.'

Hij wist op dat moment niet of het kwam door de chloor-stank in de stomerij, of door de brok in zijn keel, maar met betraande ogen had hij oma aangekeken en wanhopig naar de waarheid gezocht in haar met lijnen doorgroefde gezicht. Maar oma wilde er niets meer over zeggen.

Restaurant

13.40 UUR

'Ik had hem daar nooit verwacht, begrijp je,' hoorde Julie Narcissa zeggen, 'en dan al helemaal niet met dat blondje van de receptie.'

'Dat geile blondje', vulde Eve aan. Narcissa's verhaal *Je getrouwde baas betrappen in de sauna* paste prima in de context van Julies artikel. Toch kon ze er nauwelijks haar aandacht bijhouden. Leo was opnieuw achter de bar verschenen, en was duidelijk ergens van geschrokken. Hij zag de kolossale vrouw die Julie eerder in het bubbelbad was tegengekomen, liet iets uit zijn handen vallen en verdween uit het zicht, terwijl de kok, tenminste daar ging ze vanuit want de man droeg een schort, hem leek uit te lachen. Wat gebeurde daar?

'Wacht even, wacht even.' Julie maakte snel wat aantekeningen en richtte haar hoofd weer op. 'Jullie werken voor dezelfde baas, dat Eve de receptioniste ook kent?'

Narcissa schudde haar hoofd. 'Ze heeft haar toevallig een keer ontmoet, trouwens je kunt haar niet over het hoofd zien met haar strakke kleding en Louis Vuittonneptas.' Ze zweeg even en keek nadenkend naar haar lege glas. 'Maar dat is allemaal bijzaak. Het ergste komt nog. Ik ben in een spagaat beland. Mijn baas kwam laatst mijn kantoor binnen en sloot meteen de deur achter zich, iets wat hij normaal nooit doet. Daar ga je, Cis, dacht ik nog. Hij begon te slijmen over mijn verdiensten voor het reclamebureau en mijn functie die nodig herzien moest worden, boog over mijn bureau heen, greep met die klefpoten van hem mijn handen en...'

'En vroeg toen of jij ook eens meewilde naar de sauna.' Voor Julie mocht het nog wel wat smeuïger. Een baas die losse handjes krijgt in het stoombad, of iets dergelijks.

'Snap jij dat nou? Ik had hem het liefst een pets in zijn gezicht verkocht, maar ik vind mijn baan leuk en wil geen andere. Die man heeft twee schatten van kinderen thuis en een bloedmooi wijf.'

Julie zag Leo weer terugkomen. Hij nam een paar slokken uit een glaasje en begon achter de bar sinaasappels uit te persen. Steeds sterker leek ze te weten dat ze hem kende. Zijn litteken had iets te maken met een brand, schoot door haar hoofd. De vrouw op de ligstoel, die haar deed denken aan een Chinese rimpelhond, paste op de een of andere manier ook bij dat beeld.

'Het is pure chantage,' vond Eve. Ze bood Julie een nieuwe sigaret aan en hield er een vuurtje bij. 'Straks ontslaat hij haar nog omdat ze niet meewerkt. Toch?'

*

Twee uur. Hij was er klaar voor. Hij had een douche genomen, een schoon shirt aangetrokken, en met zijn vin-
gertoppen wat talkpoeder gewreven over de plekjes in zijn
nek die weer waren opgekomen nadat hij die vrouw had
gezien. Alles wat hij in het verleden naar de donkerste uit-
hoek van zijn geweten had versleept, was plotseling weer
in het felle licht komen te staan.

Berry had het uitgeschaterd toen hij de menumappen
op de grond zag kletteren, maar had zich al snel herpakt
door zich als een barmhartige Samaritaan over hem te bekommeren. 'Ik heb iets heel speciaals voor je', knipoogde
hij, waarop hij hem een glaasje had ingeschonken met iets
wat hij nog nooit geproefd had. Binnen een paar minuten
waren zijn gedachten wonderlijk licht geworden. Daarna
had Berry Anika geholpen met het ombouwen van het terras, zodat zo veel mogelijk gasten zijn toespraak voor de
opening van het hooibed chalet konden horen.

Vooraan stonden Johns schoolvrienden. Stuk voor stuk
hielden ze hem in de gaten. Was zijn vertrouwen in John
niet zoals nu, grenzeloos en onverwoestbaar, dan had hij
zich kunnen afvragen of ze expres vandaag naar deze plek
waren gestuurd om hem te controleren. Op de tweede rij
stond de journaliste van de *Heuvelland Post*. Ik zal, zodra ik tijd heb, naar haar toegaan om kennis te maken,
dacht hij. Anika had verbaasd gereageerd op zijn opmerking dat hij nog steeds niet wist wie die Julie precies was.
Met enkele steekwoorden had ze de journaliste omschre-
ven: midden dertig, goedlachs, kuiltje in beide wangen,

groene ogen, rood ... als een vuurtoren. Door die rode haren, die hem al eerder die ochtend waren opgevallen, had
hij haar op het terras ineens zien zitten naast een zwarte stoot in een XL badjas. Hij moest er niks van weten, dat
gemiereneuk van een verslaggeefster, maar hij wilde John
– die zich blijkbaar graag een oor liet aannaaien – niet te-
leurstellen.

De bastaard

PER stond er met grote letters op het vat. 'Opa zegt dat je er kanker van krijgt.' Leo liet zijn schooltas van zijn schouders glijden en trok een vies gezicht, terwijl zijn oom Anton het reinigingsmiddel terugzette in de kast. Hij gaf Leo een plagerig duwtje tegen zijn schouder, haalde de schone kledingstukken uit de trommel van de machine, en deed ze in een mand. Elk kledingstuk vereiste een specifieke behandeling en zodra het strijken of persen klaar was, werd de kleding op haakjes gehangen, aan lange rekken, kleurige rekken met nummers en spelden en plastic hoezen. Die rekken stonden tegen de wand van de winkelruimte, zodat tante Anne of oma het kledingstuk aan de hand van het nummer van de klant makkelijk kon terugvinden.

Als het stil was in de winkel en niemand op hem lette, liet Leo zijn handen langs de broeken en jassen en jurken in de flinterdunne plastic hoezen glijden, eerst langzaam, dan steeds vlugger. Zijn hoofd werd dan licht en zijn gedachten voerden hem mee naar het maïsveld aan de rand van het dorp, naar de plek waar hij een schuilplaats had gevonden tegen woorden als 'bastaard' en 'hoerenjong' en waar hij de strakke banen van de ritselende planten volgde in de richting van de zon, net zolang tot hij hijgend de grens van het veld bereikte om zich daar in de armen van zijn onzichtbare moeder te laten vallen.

'Geef dit eens aan je oma.' Anton raapte een blinkende knoop van de vloer en gaf hem aan Leo. 'Hij komt van die blauwe blazer daar. Vraag even of ze hem aannaait, en vraag haar ook of ze klaar is met de broekentopper.'

Leo kon de klamheid van Antons hand voelen zonder hem aan te raken. In zijn T-shirt zaten grote vochtige kringen en zijn zwarte haar vormde een kleffe krans rond zijn rood aangelopen gezicht. Hij vroeg zich af wat zijn tante in oom Anton zag, maar beter dan Anton kon tante waarschijnlijk niet krijgen.

'Perchloorethyleen is inderdaad een smerig goedje. Daarom drink ik met je opa altijd een paar glaasjes jenever na het werk, snap je? We moeten het gif dat we tijdens ons werk inademen goed wegspoelen.' Anton lachte zijn door nicotine vergeelde tanden bloot en duwde tegen de deur van de reinigingsmachine, die veel weg had van een grote wasmachine. Het apparaat rook niet naar een fris waspoeder, zoals dat van oma in de bijkeuken, maar naar chloor.

'Zeg, moet jij niet opschieten, joh?' vroeg Anton. Leo pakte zijn schooltas op en liep naar de keuken in het achterhuis, waar zijn grootouders aan tafel zaten. Op de klok boven het fornuis was het bijna halfeen. Over drie kwartier moest hij alweer terug naar school.

Hij wilde achter de stoel van zijn grootvader langs schieten, maar werd op het laatste moment bij zijn arm gegrepen. 'Kom jij eens hier.' De sterke hand van opa Bart sloeg als een boei om zijn pols. Zijn hele lichaam verslapte. 'Is het waar, Leo, wat de meester zegt?'

Wat bedoelt opa Bart? Heeft de meester hem verteld dat ik door het maïsveld loop? Dat ik terugsla als ze me pesten? Dat ik over de schoolmuur klim naar een plek waar niemand me ziet, zodat ik langs een andere weg naar huis kan lopen? Maar hoe kan de meester dat allemaal weten?

'De meester zegt dat je beter je best doet in de klas.' Terwijl de priemende vingers zijn pols loslieten, kon Leo nauwelijks een zucht van verlichting onderdrukken. 'Hoe komt dat zo opeens?'

Er viel een stilte. Oma zette haar melkglas neer en trok Leo's stoel naar achteren. 'Hij is verliefd, Bart. Kom, ga maar gauw zitten, Lee, je bent laat.' Ze schonk een glas karnemelk voor hem in en legde een plak komijnekaas op de boterham op zijn bord. 'Hij is verliefd op zijn oma. En op Duko, zijn konijn.'

'De meester aait me af en toe over mijn hoofd.' Het was waar. De laatste weken waren zijn cijfers omhooggegaan. Alleen met betere cijfers zou hij een ander beroep dan dat van zijn grootvader kunnen kiezen. Het kwam allemaal door Allard, de nieuwe jongen in zijn klas die vanuit de stad naar Esveld was verhuisd en wiens vader een beroep had met een mooie, dure naam: accountant. Het had iets te maken met goed kunnen rekenen en met geld.

Leo had Allard honderduit gevraagd over het leven in de stad, zonder koeien, zonder schapen, zonder dorpsbewoners die je aanstaren omdat je oma je moeder speelt en je opa je vader. Leo kende maar één ander meisje dat bij haar opa en oma woonde, maar haar moeder was dood. Allards verhalen hadden hem weg doen dromen, hoewel hij zich een leven buiten het dorp, zonder zijn oma, nauwelijks kon voorstellen.

Terwijl hij snel naast oma aan tafel ging zitten, drukte een scherp voorwerp tegen zijn bovenbeen. Hij leunde achterover en trok onder uit de zak van zijn broek een grote glimmende knoop tevoorschijn.

'Deze moet aan een blauw jasje worden genaaid', zei hij, met een zekere onverschilligheid in zijn stem. Hij had geen zin om Antons opdracht woordelijk te herhalen. Hij was niet van plan Antons loopjongen te worden.

Oma liet de knoop in haar handpalm heen en weer rollen, zodat hij schitterde in het licht dat vanaf de plaats naar binnen viel. 'Een prachtig ding. Die is vast van een blazer. Er staat een wapen op. Heb je dat gezien, Lee? Het lijkt wel een met twijgjes versierde vier. Met daarboven een mooi kroontje.'

Onder tafel gaf oma Leo een duwtje met haar schoen tegen zijn kuit. Ze schraapte haar keel, alsof er iets belangrijks ging volgen, en zei: 'Door die vier moet ik plotseling aan iets denken. Is dit niet het moment, Bart, om Lee's zakgeld te verhogen van drie naar vier gulden per maand? Hij doet zo zijn best op school en werkt zo vlijtig mee in de zaak.'

Er viel een stilte. Terwijl Leo zijn handen vouwde om te gaan bidden en bedacht wat hij zoal met vier gulden kon gaan doen, veegde zijn grootvader met de rug van zijn hand zijn mond af en bromde: 'Vier gulden is een heel bedrag voor een schoffie van tien. Ik vind het best, maar dan moet hij van nu af aan ook leren hoe je met de stoompop omgaat.'

Restaurant

14.20 UUR

Is hij het wel? Julie voelde een wee gevoel opkomen in haar maag. Leo had haar enkele malen aangekeken, emotieloos, zonder enig teken van herkenning in zijn blik. Hij keek naar haar zoals je naar elke willekeurige voorbijganger op straat of in de supermarkt kijkt. Stel dat hij het toch niet is, stel dat ze het zich maar verbeeldt. Zijn achternaam Van 't Sant zei haar niets, maar in achternamen was ze sowieso nooit goed geweest.

'Heb je genoeg om over te schrijven?' fluisterde Eve naast haar. Ze stonden tussen de overige gasten opeengepakt op het terras, dat voor deze gelegenheid eigenlijk te klein was.

Julie haalde haar schouders op. 'Anders verzin ik er nog wel wat bij.'

'Mag dat dan?'

'Alles mag, zolang je geen namen noemt en de inhoud niet tegen de gevestigde orde indruist, zoals dat heel chic heet', fluisterde ze terug.

Niks mag, dacht ze. Zodra ik in mijn teksten mijn eigen mening verwoord of mijn fantasie de vrije loop laat, wordt er op de krant moeilijk over gedaan. Het enige waar ze op de redactie heilig ontzag voor hebben, zijn harde feiten: iemand die uitglijdt in een glibberige gang, een hartstilstand in de 100 graden-sauna, een vrouw die haar man net iets te lang onderduwt in het kruidenbad. Gruwelijkheden die zich helaas nooit in haar aanwezigheid voltrokken.

Leo was zijn toespraak begonnen met een verklaring over John, die er om persoonlijke redenen vandaag niet bij kon zijn. Dus naar John hoef ik niet meer op zoek, dacht Julie. Een mooie gelegenheid om Leo te benaderen of hij in zijn plaats wat vragen kan beantwoorden.

Het weeë gevoel in haar maag leek niet langer van tijdelijke aard, maar nestelde zich nu onder haar ribbenkast. Als hij inderdaad de Leo van toen is, is het toch beter dat hij mij niet herkent, bedacht ze. Ze hoorde haar vader weer tegen haar zeggen dat ze beter niet meer met die jongen om kon gaan. Ze nam zich voor goed op te letten of hij enig teken van herkenning gaf.

✥

Het einde van zijn toespraak was in zicht. Hij moest gewoon niet naar de gasten kijken, maar er vlak overheen, zodat hij niet afgeleid werd door vragende of verwachtingsvolle blikken. Als manager was je een geliefd aanspreekpunt voor journalisten en mensen met klachten. Johns advies aan het eind van de speech het publiek de gelegenheid te geven tot vragen stellen, vond hij een overbodige luxe in een tijd waarin er toch al te veel aandacht gegeven werd aan blablafiguren die gek waren op hun eigen stem.

Leo vroeg om applaus voor John en zijn collega's. 'Er is geen andere sauna in Nederland met zulke faciliteiten in zo'n prachtige omgeving en tegen zulke scherpe prijzen', zei hij. Hij wist niet of zijn woorden op waarheid berustten, maar dat deed er niet toe. Als je maar vaak genoeg bepaalde dingen herhaalt, gaat iedereen er uiteindelijk in geloven. Anika gaf hem een knipoog, een afgesproken teken waarmee ze aangaf dat alles goed was verlopen en hij het lint bij het hooibed chalet kon gaan doorknippen.

Hij schudde handen van wildvreemde mensen die hem feliciteerden en het gevoel gaven dat hij de houten hut eigenhandig had gebouwd. 'Het was een hele klus,' reageerde hij met een zucht, 'maar het resultaat mag er wezen.'

Ook de journaliste van de *Heuvelland Post* kwam naar hem toe. Haar rode haar kranste om haar hoofd. Ze vroeg: 'Mag ik u straks wat vragen stellen over uw visie op saunagebruik en de gevolgen ervan voor het milieu?' Hij begreep niet goed wat ze met die vraag bedoelde. John had nooit iets gezegd over gevolgen voor het milieu. John liet de kassa rinkelen, een geluid dat blijkbaar iedereen blij maakte want de mensen bleven komen.

'Ik moet in mijn agenda kijken, het is razend druk', reageerde hij. Opgelucht haalde hij adem toen de journaliste wegliep omdat er iemand aan de mouw van zijn shirt trok met de vraag of je vlak na een hernia operatie ook op een hooibed mocht liggen. 'Geen enkel probleem', verzekerde hij, zacht genoeg om te voorkomen dat de journaliste iets van zijn woorden meekreeg. 'Daar wordt uw rug alleen maar vrolijker van.'

Anika overhandigde hem een gigantische schaar en onder luid applaus knipte hij het rode lint door, waarna de eerste gast met zijn badlaken de hut kon betreden.

❖

Julie keek om zich heen. De menigte verspreidde zich langzaam weer over het terrein voor een nieuwe saunaronde. Aan de rand van de relaxweide, op de plek waar de vrouw met de roze zonnebril had gelegen, stond een verlaten ligstoel met een uitgelubberd zitvlak. De vrouw zelf was nergens te bekennen.

Zoet bloed

＃

Het was Midzomerfeest in Esveld. Voor Stomerij Pulsing openden om acht uur al de marktkraampjes die zich als een feestslinger door het dorp verspreidden en eindigden op een weide, waar koeien en schapen hadden moeten plaatsmaken voor kermisattracties die elk jaar in aantal en diversiteit leken te groeien.

Leo liep naar het open raam van zijn slaapkamer en observeerde de bedrijvigheid van de kraamhouders beneden in de straat. Ze hadden klapstoeltjes uitgevouwen en sommigen zaten in de schaduw van de lindenbomen een kop koffie te drinken of iets te eten. Kinderen speelden tikkertje tussen de stalletjes door en het keffertje van de ijzerwinkel aan de overkant was hevig aan het snuffelen in een doos met rommel.

Iets verderop, voor een kraampje met verschillende

soorten kaas, stond oma met een brood in haar hand tegen een vrouw te praten. Oma's gezicht was mooi in het licht van de zon, die de rimpels in haar voorhoofd deed vervagen. Hij hield van de rust in haar stem, de lange lijn van haar wenkbrauwen boven de groenblauwe ogen en haar goudkleurige haren, die – net als nu – vrolijk opsprongen zodra ze moest lachen.

Toen hij als klein jongetje voor het eerst hoorde dat de vrouw op de foto, die oma hem liet zien, zijn moeder was, had hij haar gevraagd waarom zijzelf nooit zo dik was geworden als haar eigen kinderen. Oma had een stuk papier en een potlood gepakt en was samen met hem aan de keukentafel gaan zitten. 'Kijk,' had ze gezegd, terwijl ze met een paar lijnen een menselijk lichaam tekende, 'je lichaam is eigenlijk een soort fabriekje. Zolang alle machientjes in het fabriekje maar goed werken, is er niks aan de hand.' Ze tekende er een hart in, longen, en een lange tuinslang die ze de darmen noemde. 'Als alles goed werkt, kun je wat je lekker vindt rustig eten en pompt je hartje vrolijk het bloed door je lichaam. Maar bij je mama, en bij tante Anne, is het anders. Niet erg hoor, maar anders. Er zit te veel suiker in hun bloed, en daardoor zijn ze dikker dan wij en moeten ze oppassen met wat ze eten.'

'Hebben ze zoet bloed?' had hij willen weten, waarop oma hem lachend in zijn wang had geknepen.

'Als je groter bent, zal ik het nog weleens uitleggen.' Ze gaf hem de tekening en hij had hem in zijn kamer in tientallen stukjes gescheurd en weggegooid.

Pas jaren later las ze hem een verhaal voor over een meisje met diabetes. Hij had er met spanning naar geluis-

terd en vond diabetes een eng woord voor een nog enge-
re ziekte, waar hij en oma gelukkig geen last van hadden.

In de verte klonken de aanzwellende klanken van de bla-
zers en trommels uit het fanfareorkest dat een ronde
maakte door de steegjes en straatjes van het dorp, om te
eindigen in de muziektent op de Kerkbrink.
   Leo stak zijn hand in zijn broekzak en controleerde voor
de zoveelste keer of hij genoeg geld had voor de Hully Gully, de carrousel met zijn gondels die volgens Allard, zijn
nieuwe vriend, hoog genoeg boven het weiland uit zweef-
de om aan de horizon de stad te kunnen zien liggen waar
Allard gewoond had voordat hij met zijn vader en moeder
en broertje naar Esveld verhuisde.
   Opa Bart was die ochtend in een goede stemming geweest. Hij had hem wat extra's gegeven voor de kermis en
in de stomerij met veel geduld laten zien hoe je een mes-
scherpe vouw moet persen in een broek. 'De broek wordt
vastgezogen op het persdek,' had hij uitgelegd, 'kijk, zo,
en daarna wordt hij met de persklep onder druk gezet.
Niks aan, maar je moet wel goed oppassen voor valse
vouwen...'
   Bij het zuchten van de machine zag Leo door de stoom
heen zijn moeder liggen in het korenveld aan de zoom van
het dorp, tevergeefs schreeuwend en slaand terwijl haar
rok omhoog werd gerukt en haar stevige dijen uiteen getrokken, zodat de pik van het monster dat zijn vader zou
worden naar binnen kon stoten.
   Met meer dan normale belangstelling had hij tijdens
het persen naar gelijkenissen gezocht tussen zijn eigen

gezicht en dat van zijn grootvader, met op zijn lippen de vraag waarom hij niet tante Anne, maar juist hem, Leo, zijn kleinzoon, tot opvolger van het familiebedrijf had benoemd. Was er iets met tante Anne wat hij niet wist, niet kon weten, niet mocht weten?

Hij ging in de vensterbank zitten en tuurde naar het gouden haantje op de kerktoren die hoog boven het loofdak van de bomen en het geroezemoes in de straat uitstak. Nog even en de klok zou elf keer slaan, waarna de winkel dichtging, want op dagen als deze kwam volgens oma toch niemand kleding brengen of halen.

Op zijn kousenvoeten daalde hij de trap af en verdween door de keuken naar de bijkeuken, waar hij zijn schoenen aantrok en snel wat voer pakte voor Duko. Hij aaide zijn konijn een paar keer over zijn lange oren, fluisterde hem iets liefs in, en liep zo zachtjes mogelijk door de stomerij naar de winkel.

Opa mag dan wel goedgehumeurd zijn, dacht hij, hij mag me niet zien, anders moet ik alsnog een of ander stom klusje voor hem opknappen. Op het geluid van stemmen verstijfde hij en bleef met ingehouden adem achter een van de volle kledingrekken staan. Bij de kassa, op enkele meters van hem vandaan, leunde tante Anne met haar achterwerk tegen de toonbank aan. Ze hing iets achterover en haar blouse stond wijd open. Anton drukte zich met golvende bewegingen tegen haar aan en kuste haar hijgend op haar borsten. Na een paar minuten, die oneindig lang leken te duren, maakte tante zich zachtjes giechelend los uit Antons omhelzing, draaide zich om, en graaide met haar hand in de kassa. 'Hier', fluisterde ze, terwijl ze Anton een biljet toestopte. Haar vette vingers gleden naar de knopen van haar blouse en toen ze haar rok weer recht had getrokken, liep ze Anton achterna die het slot van de winkeldeur opende om op de stoep naar de bedrijvigheid in de straat te gaan kijken.

Leo durfde nu pas achter de plastic hoezen met kleding vandaan te komen. Zijn hart ging minder tekeer. Hij liep zo onopvallend mogelijk achter Anton en tante Anne door de winkel uit en verdween tussen de kraampjes, terwijl hij de stem van Anton meende te horen roepen: 'Hee, jij daar. Heb je alles al opgeruimd?'

Zonder om te kijken en met zijn hand veilig op het geld in zijn broekzak, vervolgde hij zijn weg in de richting van het kermisterrein. Hij moest opschieten. Hij was laat. Hij zou met Allard in de Hully Gully gaan.

Wat Allard zag, zag hij niet. Zodra de carrousel met zijn hydraulische cilinder de gondel hoog de lucht in stuwde, wees Allard naar de contouren aan de horizon en hoorde hij hem boven het lawaai van de kermismuziek uit dingen kraaien als 'Oooh, kijk, kijk, de mosterdfabriek van mijn opa!', en 'Daar, daar, de schijnwerpers van het voetbalveld!' Allards gevoel van opwinding stelde hem teleur en maakte hem misselijk.

Zijn eigen blik beperkte zich tot de akkers, fietspaden en wegen die niet verder reikten dan de grenzen van zijn leven tot nu toe. Hij zag het maïsveld, waarin hij op vertwijfelde momenten zijn toevlucht zocht, het fietspad en de kronkelende tweebaansweg die leidden naar het volgende dorp, waar tante en Anton woonden, en de korenvelden, waarin volgens de geruchten zijn moeder moest zijn ontmaagd. Hij zag de kerk, waar hij elke zondag een uur lang op een houten bank van de ene bil op de andere wipte, en die bij elke draai van de Hully Gully meer ging lijken op een gevangenis met een kruis erop. Hij zag meisjes uit zijn klas in zondagse jurkjes, likkend aan een lolly of een suikerspin, en jongens, zwaaiend met botte degens en pistolen waaruit water sijpelde.

Zodra de carrousel na een duizelingwekkende rit weer tot stilstand kwam, voelde hij Allards hand om zijn pols en liet hij zich – nog draaierig van al het kermisgeweld – meevoeren naar de volgende attractie, het splinternieuwe Spiegelpaleis van Versailles, een doolhof van glas, waarin je, volgens Allard, jezelf en anderen kwijtraakte.

Terwijl Allard boeh en baah roepend langs de spiegels liep, bleef Leo plotseling stilstaan. Voor het eerst was hij niet langer slank, maar nam zijn lichaam de vorm aan van dat van zijn tante Anne: pompeus, wanstaltig, explosief. Hij leek op zijn moeder. Hij sloot zijn ogen en probeerde haar, zoals hij haar van de foto's kende, voor de geest te halen. Je mama was te dik om je op een normale manier op de wereld te zetten, had oma gezegd. Zou ze mij vlak na mijn geboorte nog hebben aangeraakt? vroeg hij zich af. Zou ze even, al was het maar heel even, gedacht hebben: ik laat hem niet in de steek?

Of zou ze een beweging hebben gemaakt met haar hand, een gebaar van doe maar snel weg, vlug, vlug, ik wil hem niet zien anders ga ik hem nog lief vinden ook. Hij durfde oma zulke vragen niet te stellen. Antwoord zou hij toch niet krijgen.

Een arm, of iets wat daarop leek, streek langs zijn rug. Hij opende zijn ogen en draaide zich om. Er was niemand te zien. Alleen hijzelf. Oneindig veel keren zag hij zijn eigen verschrikte gezicht opduiken in de spiegels. De muziek die door de luidsprekers snerpte, werd plotseling harder gezet.

'Allard, was jij dat daarnet?' Hij herkende zijn eigen stem nauwelijks. 'Doe niet zo flauw. Kom maar tevoorschijn. Ik weet best dat jij het was!'

Er kwam geen reactie. Het enige wat hij hoorde was de stem van een onzichtbare man achter hem die een paar keer 'doorlopen' riep. De stem deed hem denken aan Anton. Nog even en Anton zou in tienvoud naast hem opdoemen om hem mee naar buiten te sleuren en te vragen waarom hij zo snel verdwenen was tussen de stalletjes op de markt, en wat hij in de winkel uitspookte voordat hij achter zijn rug om naar buiten piepte. Anton zou hem net zolang onder druk zetten totdat hij alles vertelde wat hij bij de toonbank had gezien. De openstaande blouse van tante, het hijgen, de bewegingen van Antons billen, en het ergste van alles: de vette vingers die een biljet uit de kassa graaiden.

Een vlaag warme lucht trok langs zijn nek. Nu was er toch duidelijk een gezicht van een man naast het zijne. Het gezicht grijnsde naar hem, van links, van rechts, en van boven zijn hoofd. Hij voelde iets hards tegen zijn billen. Geschrokken deed hij een stap naar voren. Een seconde later stak de man hard lachend iets harigs in de lucht.

'Jochie, hier word je toch niet bang van?' fleemde de man. Hij duwde een konijn tegen Leo's rug en daalde af naar zijn bilspleet. 'Speelgoed, domoor', grijnsde hij en hij verdween bij het steeds sterker wordende geluid van meis-jesstemmen weer uit de spiegels.

'Allard. Waar ben je?' riep hij weer, maar zijn stem leek te worden verzwolgen door de muziek en een groep gie-chelende en kirrende meisjes, die als een stel vlinders langs de spiegels scheerden.

'Vlug, vlug!' riep een van hen. 'Vlug, ze komen eraan, ze halen ons in.' Het meisje pakte Leo bij de hand en sleurde hem mee. Hij keek opzij, en toen nog een keer om er zeker van te zijn dat hij niet droomde. Ze is het echt, dacht hij. Ik weet het zeker. De hand die hem gegrepen had was die van Ilse, de dochter van de fietsenmaker, het ongrijpbare, on-bereikbare meisje uit de hoogste klas van zijn school, het meisje met de blonde lange haren, het meisje dat alles over alles en iedereen durfde te zeggen.

'Kom snel. Het zijn de plaaggeesten uit het spookhuis. Ze komen eraan en halen ons in.' Gewillig liet hij zich door haar meevoeren. Ilses hand voelde veiliger aan dan die van Allard, warmer, zekerder. Aan Ilses hand zou hij het schoolplein op een normale manier, langs het hek, kunnen verlaten, met Ilse erbij zou hij niet met een om-weg naar huis hoeven te lopen, met Ilse naast hem zou hij op iedereen die hem in de weg stond inbeuken.

'Sneller, sneller!' riepen de meisjes in koor. Het waren er misschien zes of zeven, maar in de spiegels leken het er wel honderd. Leo voelde zich gewichtsloos worden, ter-wijl ze gezamenlijk, dan weer sprieterig dun, dan weer walgelijk dik, naar de uitgang van het spiegelpaleis ren-den, totdat ze hijgend in het daglicht belandden op een kale, houten plankier.

Hij keek verdwaasd om zich heen. De stoere hand had hem even tevoren abrupt losgelaten en Ilse was op slag verdwenen in het kermistumult.

Doelloos slenterde hij in de richting van de schiettent, toen er plotseling een stem achter hem vroeg: 'Hé, waar was je nou gebleven, eikel?'

Hij draaide zich om en keek in het verontwaardigde gezicht van Allard, die met een zakje chocopinda's in de hand op hem afkwam. 'Ik begrijp er niks van, joh. Waar zat je nou? Ik sta al die tijd al op je te wachten.' Leo haalde sullig zijn schouders op en pakte een paar pinda's uit de zak die Allard hem uitnodigend toestak.

Hamam

15.11 UUR

Soppige zeepbellen dwarrelden rond Julies lichaam. Ze lag op haar rug op een warme marmeren plaat, terwijl een paar mannenhanden al masserend haar lichaam wasten. De sfeer in de ruimte was zwoel en er klonk een Oosters muziekje op de achtergrond.

Ze zag de dikke vrouw weer voor zich. Een shar-pei met een roze zonnebril op. Vast geen regelmatige gast, anders was Leo niet zo geschrokken toen hij haar zag. Interessant mens om te interviewen. Ze zou haar vragen of ze dacht af te vallen in de sauna. Je hoorde daar vreemde verhalen over, vrouwen die meenden kilo's te zullen verliezen door te gaan zweten...

De mannenhand wreef over Julies knie en daalde af naar haar enkel. Kon ze maar even zuchten en een gilletje geven. Een gekke plek, zo onder je knie, maar zij raakte er opgewonden van als een hand daarlangs wreef en afdaalde naar haar scheenbeen. Raar, die erogene zones. Een mannenhand op haar bil deed haar niks, maar een in haar nek of bij haar knie bracht haar bijna tot een orgasme.

'Gaat het?' vroeg de hamam-man. Ze schrok van zijn stem. Hij zou toch niet merken hoe geil ze werd van zijn behandeling?

'Heerlijk.'

'Dan is het goed.'

Ik moet nuchter blijven, dacht ze. Straks moet ik een verhaal ophangen over de hamam, terwijl ik niets bewust heb meegemaakt. Hoe ging het ook alweer? Haar poriën. De behandeling was begonnen met een stoombad voor het openen van haar poriën, waarna haar hele lichaam was gescrubd en met warm water overgoten. Ze keek door haar oogspleetjes naar de knappe jongeman in Sedna-tenue die naast haar stond. Hij had olijvenzeep vanuit een zak over haar hele lichaam uitgeknepen. Het schuim vormde steeds grotere vlokken.

Het leek wel zeeschuim; Julie herinnerde zich plotseling de vakantie aan het strand, op de camping met haar ouders. Ze was in de branding gaan liggen en was helemaal bedolven onder het zoute schuim, dat door een storm dik en lobbig was geworden. Haar huid was rood en pijnlijk geweest daarna, herinnerde ze zich. Er was nog iemand bij geweest, haar vakantievriendin Mireille. Samen hadden ze een uur onder de douche gestaan. En nog iemand, bedacht ze. Langzaam zag ze hem opduiken uit het schuim, zag ze zijn gezicht weer voor zich. Met dat vreemde oor. De camping, dacht ze, ik heb Leo op de camping ontmoet.

Een vakantiebaantje had hij daar. Iets in de kantine. Elf moet ik geweest zijn. Hij veertien, of misschien al vijftien. Hij woonde in een stomerij. Ik vond hem anders dan andere jongens. Onvoorspelbaar. Hij had iets fascinerends en griezeligs tegelijk.

Ze had met Leo in de duinen gewandeld, vanaf de camping naar het strand. Leo had geen moeder, had hij verteld. Althans, geen moeder die voor hem zorgde zoals een normale moeder dat doet. 'Ze is met de noorderzon vertrokken.' Leo's monotone stem stond in schril contrast met het geluid van hun schoenen op het schelpenpad. 'Ze schaamde zich voor mij.' Hij trok een pakje sigaretten uit zijn broekzak en stak er een op. Julie nam op zijn aandringen een kort trekje en gaf de sigaret snel weer terug.

'Maar je hebt wel een vader.' Over zijn vader had hij nog niets gezegd. Of zou die het te druk hebben om voor hem te zorgen? vroeg ze zich af. Haar eigen vader mocht dan veel tijd doorbrengen in de drogisterij, op zondagen en in de vakanties deed hij zijn best de verloren momenten in te halen. Hij zou haar opvoeding, als ze geen moeder meer had gehad, nooit hebben overgelaten aan iemand anders. Desnoods had hij haar in het achterkamertje van de winkel haar huiswerk laten maken.

Leo bleef staan en wees met zijn sigaret naar de lucht. 'Zie je die wolk? Hij lijkt doorzichtig, maar dat is hij niet. Nog even en hij zal die weerloze wolkjes daar overschaduwen en ze geen kans meer geven om groot te worden.' Hij zweeg even en nam een trek van zijn sigaret. 'Nou, zo was mijn vader. Je zag hem niet, maar hij overschaduwde wel mijn leven.'

Julie voelde kippenvel opkomen op haar armen, wilde het liefst terugkeren naar de camping, maar Leo greep haar bij de pols en nam haar mee naar de rozenbottelstruiken aan de rand van het pad. Er stond een bordje VERBODEN TOEGANG. 'Kom. We gaan de duinen in. Pas op, Juul. Prikkeldraad!'

'Wie zorgde er dan voor je, toen je klein was?' Ze zaten boven op het duin en tuurden naar de horizon waar vrachtschepen als trage slakken op weg waren naar hun bestemming. Boven hen klaagde een groep meeuwen. Julie telde de meeuwen, van een tot negen en daarna weer terug van negen naar een. Ze keek opzij naar Leo die zwijgend voor zich uit staarde en plotseling met een harde ruk een vuist helmgras uit het zand trok.

'Mijn opa en oma. En later mijn tante Anne.' Hij smeet het gras met een grote boog weg, greep een stuk hout en begon een kruis te tekenen in het rulle zand.

Julie had Leo's gezicht nog niet eerder van zo dichtbij kunnen observeren. Het litteken bij zijn slaap leek op een ribbelig stuk kauwgom. Boven het gaatje van zijn oor zat een stukje kraakbeen. Over dat oor had hij niets willen loslaten, ook niet toen ze aanhield. Ze keek naar haar benen. Er zaten bloederige krassen op van het prikkeldraad waar ze in was blijven hangen toen ze met Leo het wandelpad verliet.

'Je hebt kippenvel op je benen, zie je dat?' riep hij lachend. 'Je hebt het koud!' Ze schudde van nee. Ze had het niet koud, ze moest aan Leo's moeder denken, en aan haar eigen moeder. Haar moeder zou haar nooit in de steek hebben gelaten na haar geboorte. Was Leo's moeder maar dood, dan hoefde hij niet meer aan haar te denken als een moeder die je aan je lot overlaat.

'Moet je vaak aan haar denken? Aan je moeder?' vroeg ze. Leo hield zijn hand over het stompje bij zijn oor, alsof hij last had van de wind, maar de wind in het helmgras leek wel stil te staan. Zelfs de meeuwen boven hun hoofd waren gestopt met hun gejammer en in de verte klonk alleen nog het blaffen van honden en het uitrollen van golven op het strand. Leo smeet de stok weg en greep Julies pols beet. Ze voelde zijn nagels in haar huid priemen.

'Au. Laat me los! Je doet me pijn!' riep ze. Met moeite wist ze hem van zich af te schudden.

Restaurant

15.11 UUR

Leo keek op de display van zijn telefoon. Het sms-bericht kwam van John. Hij wilde weten hoe alles was verlopen. Over zijn moeder zei hij niets. Zijn permanente aandacht zal haar wel goed doen, dacht Leo.

John had hem verteld dat zijn moeder twee jaar geleden weduwe was geworden. Sinds die tijd kon ze haar draai niet meer vinden. 'Mijn vader heeft haar een mooi leven gegeven', zei hij. 'Ze had volgens hem heel wat in te halen. Vreselijk dat hij er niet meer is.'

'Waarom nodig je haar niet eens uit?' had Leo gevraagd.

'Als jij haar bezighoudt', had John gereageerd. 'Daar heb ik de tijd niet voor, jongen. Zie je die stapel administratie daar liggen? Er komt geen eind aan. En je weet, ik moet constant mijn neus laten zien in de bar, anders vragen de gasten zich af of er iets met me aan de hand is.' Hij had zijn hoofd geschud. 'Sauna is niks voor mijn moeder. Ze houdt liever haar kleren aan.'

'Een drankje dan, aan de bar, in haar badjas. Aan de bar zit altijd wel iemand om gezellig mee te kletsen. Dan vergeet ze de tijd, is ze minder alleen', had hij nog geopperd, maar John was onvermurwbaar geweest. Hij wilde zijn familie niet in zijn werk betrekken. Zelfs zijn vrouw en kinderen waren in de periode dat Leo voor het bedrijf werkte maar een of twee keer langs geweest.

Voordat hij samen met een serveerster de tafels op het terras ging schoonmaken en de parasols bijdraaien, moest hij een passend antwoord bedenken op Johns vraag. Hij mocht dan zelf tevreden zijn over het verloop van de feestelijke dag, de overige personeelsleden konden daar heel anders over denken. Als Berry maar geen onzin ging ophangen tegen John over de black-out die hij kreeg bij het zien van dat dikke mens. Vreemd, hij had haar niet meer teruggezien. Tijdens de inauguratie van het hooibed was ze er niet bij. In een moment van lichte duizeling pakte hij de rand van de bar beet. Zelfs nu, bij de gedachte aan dat groteske lichaam met die moedervlek, leek het of zijn gezicht weer in lichterlaaie stond. Hij moest oppassen met wat hij wel en niet zei, wel en niet deed.

Leo liep naar het kastje waar hij Berry net zijn geluksdrankje had zien opbergen. Het zat op slot, maar hij vond al snel het juiste sleuteltje aan zijn bos, die aan zijn riem hing. Waar had Berry dat zoete goedje vandaan? Je werd er zo heerlijk licht en vrolijk van. Liep Berry daarom zo enthousiast achter die stagiaires aan? Zonder dat iemand het merkte, haalde Leo de fles tevoorschijn en schonk wat in een glas. Hij kon wel een oppepper gebruiken nu hij van alle kanten onder druk werd gezet.

John zou bij zijn terugkeer vragen of er bekenden waren geweest, waarop hij hem moest vertellen over de komst van diens vroegere schoolvrienden. John zou contact met hen zoeken, flauwe opmerkingen te horen krijgen over de vlekken in zijn nek, of de spanning die van zijn gezicht droop toen hij bij hun tafel moest luisteren naar de volmaaktheid van Johns jeugd.

Ik moet Johns vrienden met een prettig gevoel laten weggaan, dacht hij. Ik zal ze een tweede gratis drankje aanbieden, nee, beter nog, bij hun vertrek een fikse korting geven op de entreeprijs. Maar waar zijn ze gebleven, dat stel, ze zijn toch niet weg?

Leo keek weer naar Johns tekst. *Hoe was-ie?* stond er op de display. Typisch John, er niet te veel woorden aan vuil maken. Hij had zijn handen waarschijnlijk al vol genoeg aan zijn moeder.

Vlekkeloos verlopen, tikte hij na wat nadenken. *Iedereen laaiend enthousiast.* We missen je, wilde hij er nog aan toevoegen, maar dat deed hij bij nader inzien toch maar niet, want dan zou John kunnen gaan denken dat hij niet alles onder controle had.

IJSBLOEMEN

✤

Het klopt niet, zei een stem in zijn hoofd. Het klopt niet wat oma beweert. Leo stond boven aan de keldertrap en draaide aan het lichtknopje, zodat een flauw schijnsel over de weckflessen, jampotten en andere levensmiddelen viel, die oma daar beneden op houten stellingen had opgeslagen.

Het verhaal over de grote groenblauwe plek bij oma's linkeroog kan niet kloppen, dacht hij. Hij sloot zachtjes de kelderdeur achter zich en daalde langzaam de trap af. Halverwege bleef hij staan. Boven zijn hoofd liep een horizontale eiken balk, laag genoeg om er met je hoofd, of in het ergste geval, je gezicht, tegen aan te lopen.

'Ik heb me pijn gedaan, lieverd, ik heb me lelijk gestoten', hoorde hij oma weer zeggen toen hij vroeg waar die rare plek onder haar oog vandaan kwam. 'Aan een balk.'

Vol ongeloof moest hij haar hebben aangekeken, want om haar woorden kracht bij te zetten voegde ze er meteen aan toe: 'Je weet wel, die akelige balk die zo laag hangt. Die bij de keldertrap.'

Hij daalde verder de trap af. Ook hij moest met zijn 1.58 meter inmiddels bukken om zich niet aan het donkerbruine hout, waaraan webben kleefden met uitgehongerde spinnen, te bezeren.

De treden kraakten vervaarlijk onder zijn voeten. Als kleuter had oma hem op een dag meegenomen naar het donkere hol onder het huis, een avontuur dat was geëindigd in een hevige huilbui doordat hij de laatste trede van de keldertrap miste en met zijn gezicht op de stenen vloer terechtkwam. Alleen oma kwam sindsdien nog in de kelder en nam van tijd tot tijd een halfdode spin mee naar boven met griezelig dunne pootjes en een lichaampje niet groter dan een speldenknop.

In gedachten verzonken liep hij naar het hoge venster, vanwaaruit je de binnenplaats zou moeten kunnen zien, maar waarop zich nu ijsbloemen hadden gevormd. Het geluid van zijn voetstappen klonk hol en zwaar op de vochtige, stenen vloer. Af en toe maakte hij een stap opzij om een pissebed te ontwijken. Hij rilde en liep langs de rijen glazen potten en flessen met conserven. Oma had ze van etiketten voorzien met daarop de inhoud en de datum, waarna zij de deksel met een rubber ring gesloten had.

In de volgende stelling, het verst verwijderd van het raam en nauwelijks zichtbaar in het licht van het enkele peertje, lagen groenten, eieren, worsten en een grote, ronde kaas.

'Boerenkaas gedijt goed in een vochtige omgeving', had oma hem uitgelegd toen hij haar vroeg waarom de kaas niet gewoon op een schap in de bijkeuken kon liggen als hij te groot was voor de koelkast. 'Zoiets weet je gewoon, Lee.'

Hij wilde net teruglopen naar het trapgat, toen zijn oog viel op een houten schilderspalet met daarop opgedroogde dotten verf in alle kleuren van de regenboog. Eronder lagen papieren van verschillende grootte, zo netjes mogelijk op een stapeltje geduwd. Hij nam het palet in zijn handen en maakte met opgeheven hoofd een sierlijke beweging met een denkbeeldig penseel, net zoals Rembrandt op de afbeelding in het tekenlokaal van zijn school.

Met de papieren in zijn handen liep hij naar het licht. Er stonden tekeningen op, met precisie en aandacht getekende en ingekleurde paarden en koeien in een wei, een kerktoren, lange rijen populieren langs een sloot, bloemen in een oranje vaas, en er was een tekening bij van een man met een boos gezicht en een half afgezakte broek.

Onder aan elk tekenvel stond in een net handschrift 'Iris' geschreven, met daarnaast een jaartal. Hij slikte een paar keer om de dikke prop in zijn keel weg te krijgen. Oma moest deze kinderlijke werkjes van zijn moeder hier jaren geleden hebben weggelegd, en waarschijnlijk zijn vergeten.

Hij pakte de tekening weer van de man met de afgezakte broek. Zijn moeder had hem in 1973 gemaakt. Dat was een jaar voor zijn geboorte. De man had iets dreigends, iets akeligs in zijn houding. Hij stond naar voren gebogen op een zwarte, bibberige lijn. Daaronder waren oneindig veel rode vlekjes geschilderd. Bloedspetters, dacht hij. Heeft oma hier ooit van dichtbij naar gekeken? Weet ze wie de man is en houdt ze haar mond? Of heeft ze geen idee van wat haar dochter met deze tekening bedoelde?

Boven zijn hoofd klonken stemmen. Snel verzamelde hij de tekeningen en legde ze terug op de plek waar hij ze ontdekt had. Daarbij stootte hij tegen iets hards aan wat tussen de stelling en de onregelmatige stenen muur was gegleden. Met moeite haalde hij een lang, smal doosje te-voorschijn. Er zat een zilverkleurige pen in, die paste in een roodfluwelen uitholling. Zou die van zijn moeder zijn geweest? Hij hoorde boven de stemmen dichterbij komen. Hij sloot het doosje en stopte het in zijn broekzak.

Zonder te bewegen wachtte hij tot het stil werd. Toen hij alleen nog op de achtergrond de geluiden van de sto-merij kon horen, sloop hij de keldertrap op naar de plek waar je door de laaghangende balk je hoofd flink moest buigen. Waar je ook keek, de spaken van de spinnenweb-ben op het hout waren niet beschadigd door een hoofd, een wang, zelfs niet een hand van iemand die zich op het laatste moment wanhopig vastgrijpt om maar niet op de keldervloer te belanden.

Een stroomstoot van honderdvijftigduizend volt trok door de stomerij. De reinigingsmachine draaide als een beze-tene, de pers stoomde grote vlagen verstikkende mist de ruimte in en de paspop was in zijn hart getroffen door een leger naalden.

Leo had zich in zijn kamer verschanst, in afwachting van de explosie die wel moest volgen op de nu al minstens twintig minuten durende ruzie tussen zijn grootouders, beneden in de woonkamer. Hij hoorde oma huilen, waarna een voorwerp met een klap in stukken viel.

Hij balde zijn vuisten. Nog even, nog een jaar, en hij zou in actie komen. Hij zou een einde maken aan het onberekenbare, agressieve karakter van zijn grootvader, die drankzuchtige beul die zijn eigen vrouw toetakelde en net deed of dat de gewoonste zaak van de wereld was. Over een jaar zou hij groot en sterk genoeg zijn om oma tegen hem te beschermen.

Hij zou de stomerij binnensluipen onder het gedreun van de reinigingsmachine, en zijn grootvader met een hard voorwerp te lijf gaan. Hij zou hem geen kans geven te ontsnappen en op hem inbeuken, net zolang tot hij bloedend op de grond zou liggen. Hij zou hem een trap nageven en met oma en Duko vertrekken, ver weg van dit dorp.

Zou tante Anne ingrijpen? Zij stond vast en zeker achter de toonbank in de winkel door het geluid van de ruzie op de achtergrond heen een praatje te maken over de vrouw van de drogist die net een mongooltje had gekregen, of over de brand in de eeuwenoude boerderij aan de boskant die vast was aangestoken. Met haar vlakke, gevoelloze stem, hangend tegen de toonbank zodat haar vlezige lijf het niet zou begeven, liet ze dingen aan haar lippen ontsnappen die in de smaak vielen bij het publiek. En zodra het stil was in de winkel ging haar hand in de kassa, zodat Anton haar vooral niet zou verlaten voor een ander.

Waarom is Anton er nog niet? vroeg hij zich af. Anton en tante Anne arriveerden gewoonlijk rond halfnegen bij de stomerij, maar dit keer had hij Anton niet gezien en was tante door de zware sneeuwbui heen met een kennis meegereden. Hij was bijna tegen haar opgelopen toen hij naar school ging en zij in haar namaak bontjas als een reusachtige teddybeer op de stoep van de winkel verscheen.

Leo keek naar het potlood in zijn hand, zo scherp geslepen dat de punt er bij het schrijven van af zou breken. Voor hem op tafel lag een stapel boeken en schriften die hij na zijn thuiskomst nog nauwelijks had aangeraakt. Vijf maanden geleden had hij de lagere school in het dorp afgerond en sindsdien nam hij met Allard de bus naar de middelbare school in de stad. Allards stad, waar je je eigen ademhaling niet kon horen en waar iedereen haastig op weg was naar een bestemming.

Kon hij maar van naam veranderen en zich onderdompelen in het gewoel van de stad, zodat hij de scherpe, zoete lucht van de stomerij voor altijd achter zich kon laten.

Het geluid van stemmen werd dreigender. Hij stond op, opende zijn kamerdeur, en luisterde boven aan de trap naar de ruzie beneden in de woonkamer. 'Doe dat niet Bart!' hoorde hij oma roepen. 'In godsnaam, doe dat niet... Laat hem er niet voor boeten!'

Er knalde een deur. De geluiden verplaatsten zich naar de voorzijde van het huis, naar de winkel. Leo snelde naar het raam en zag opa Bart het portier van de bestelwagen, waar een dikke laag sneeuw op lag, openen. Oma aarzelde, maakte een beweging alsof ze terug wilde lopen naar de winkel, maar ze werd als een dief bij haar kladden gegrepen en op de passagiersstoel geduwd.

Leo volgde met zijn blik de wagen die in een tunnel van sneeuw over de Dorpsstraat wegglibberde, net zolang tot hij de achterlichten niet meer kon zien.

In zijn hoofd galmde oma's stem nog na. Wie moest waarvoor boeten? Terwijl haar rode winterjas langzaam veranderde in een grote plas bloed, greep hij zijn potlood en stak de punt met geweld in zijn arm.

Kleedruimte

15.22 UUR

Onhandig sloeg Julie haar badjas om en greep de rest van haar spullen van het haakje. Heerlijk die hamam, maar nu moest ze naar de kleedruimte. Bellen. Nee, te opvallend. Mailen met haar baas. Hij moest Leo voor haar opsporen. In het digitale archief was vast iets te vinden over een brand in een stomerij. En vond hij het daar niet, dan viel het wel te traceren in een archief van een van de dagbladen. Leo had haar verteld dat zijn tante was omgekomen bij die brand. Esveld, daar had hij gewoond, herinnerde ze zich. Later had ze gehoord dat hij er zelf iets mee te maken had gehad. Haar vader had haar gezegd dat ze maar niet meer met die jongen om moest gaan. Hij had nog twee keer gebeld, maar de tweede keer had ze de hoorn al meteen op de haak gelegd.

Ze liep de gang door langs de verschillende saunaruimtes en het binnenbad, duwde tegen de deur waarop 'Kleedruimte, pas op afstapje' stond, en nam de trap naar beneden. In de aparte ruimte waar spiegels hingen, was een man met een paardenstaart zijn haar aan het föhnen en op de bank, bij haar kluisje, zaten een paar mensen met elkaar te praten terwijl ze zich aankleedden.

Ze haalde haar telefoon uit haar saunatasje, ging voor de spiegel zitten en tikte een mail aan haar baas: *kun je informatie voor me zoeken over brand in stomerij esveld, zo'n 25 jaar geleden? leg alles later wel uit.* Vragen over het hoezo en waarom kon hij beter niet stellen, daar had ze geen tijd voor. Over Leo schreef ze: *leo van 't sant volgens mij niet lang na brand ontmoet op camping. werkt nu hier en vervangt john. leo heeft stompje in plaats van oorschelp. zoek svp foto's voor me!*

De deur van de kleedruimte ging open en Leo liep het vertrek binnen. Een paar gasten op een bank keken naar hem op, groetten hem en gingen door met hun gesprek. Het waren niet Johns vrienden, zag hij tot zijn opluchting. Gelukkig maar. Het zou geen goede indruk maken als zijn vrienden nu al weggingen, zonder gebruik te hebben gemaakt van het hooibed. Hij wierp een blik in wat hij de kapsalon noemde en schrok toen hij achter een man met lang haar de journaliste van de *Heuvelland Post* zag zitten. Ze hield haar blik gefixeerd op haar mobiele telefoon en was zo te zien druk bezig met het overseinen van informatie voor de krant. Zo gaat dat in zijn werk. Je hebt je mond nog niet eens opengedaan, of er staat al een spookverhaal in de krant met je naam erin. Ik moet als de donder oppassen voor dat mens. Haar gezicht kwam hem zo bekend voor. Stond haar foto misschien weleens in de krant, boven een column of zo? Hij was nooit een held geweest in het herkennen van gezichten. Hij was al blij als hij zijn eigen verminkte gezicht in de spiegel herkende.

Het beste kon hij haar zo snel mogelijk in Johns kantoor uitnodigen.

Julie liet haar telefoon uit haar handen glippen toen ze Leo zag verschijnen in de spiegel. Ze had zich veilig gewaand in het gezoem van de haardroger van haar buurman. In een reflex wilde ze haar telefoon verbergen, maar ze bedacht zich nog net op tijd. Dergelijke onverwachte handelingen zouden het alleen nog maar erger maken. Leo had haar natuurlijk op veilige afstand gevolgd naar de kleedruimte. Die emotieloze blik, dat verbaasd reageren op mijn vraag hem te mogen interviewen, zijn oh zo volle agenda: het is allemaal theater. Leo weet me niet exact te plaatsen, maar herkennen doet hij me wel.

'Over een minuut of vijf in het directiekantoor?' stelde hij haar voor. Hij toverde een glimlach op zijn gezicht, die niet lang standhield.

Julie knikte naar hem als een slappe praatpop die haar stem is verloren. Laf, ben ik. Al die tijd ben ik op zoek naar een originele insteek voor mijn artikel, en nu ik de lezers eindelijk hartkloppingen kan bezorgen met een verhaal over het dubieuze verleden van een verminkte manager, haak ik af. Zonder dat Leo het kon zien, drukte ze bij het opstaan op 'Verzenden' en liep langs hem heen naar haar kluisje om een reden die ze nog moest bedenken.

WEGENS STERFGEVAL GESLOTEN

#

Tante stond zomaar huilend naast zijn bed. Haar halflange haren waren niet netjes gekamd, zoals wanneer ze de klanten te woord stond in de winkel, maar leken elektrisch geladen en richtten zich alle kanten op, behalve naar beneden. Haar hand omklemde de sleutel van de kassa.

Hij moest met zijn kleren aan in slaap zijn gevallen, want hij had haar niet over de trap horen aankomen.

Op het behang van zijn slaapkamer – tuinkabouters in alle mogelijke gedaantes en kleuren die allang vervangen hadden moeten worden door iets wat bij zijn leeftijd paste, Spider-Man of iets dergelijks, net als bij Allard – flitste het licht van een lamp aan en uit, zodat de kabouters in een surrealistisch landschap leken te zijn beland.

Een overval, schoot het door zijn hoofd. Er is een overval gepleegd in de winkel. Bij de Spar aan de Veenweg wa-

ren een paar weken geleden twee mannen met rare mut-
sen op binnengerend die onder bedreiging van een pistool
(wat later plastic fopdingen bleken te zijn) de inhoud van
de kassa hadden meegenomen. Tante heeft natuurlijk al
het geld in een keer meegegeven, bang als ze is voor harde
stemmen en namaakpistolen.

Hij ging langzaam op de rand van het bed zitten, waarbij er een scheut door zijn linkerarm trok. De punt van het
potlood was vlak boven zijn pols in zijn arm blijven steken.
Het ding bonsde, alsof het eruit wilde barsten. Een streepje
bloed trok erlangs over zijn bleke huid. Hij knipte het lamp-
je naast zijn bed aan en duwde met de rug van zijn hand
tegen zijn wang. Zijn gezicht was gloeiend heet. Hij moest
koorts hebben, anders was hij niet zomaar in slaap gevallen.

Automatisch trok hij zijn linkerarm naar achteren,
maar tante Anne keek niet naar zijn arm, ze bleef roer-
loos staan in het midden van de kamer en begon nog harder te huilen.

Hij wilde zich opduwen, om haar aan te raken, te troos-
ten, maar de weerstand die hij daarbij voelde, won het van
zijn medelijden.

'Er is ... er is iets verschrikkelijks gebeurd', stamelde
Anne.

In een klap zag hij oma weer voor zich, tegenstribbe-
lend bij de deur van de bestelbus, de rode achterlichten, de
gladde weg, de snelheid waarmee de auto in de sneeuwstorm uit het zicht verdween.

'Zeg het dan, zeg het!' hoorde hij zichzelf roepen. Tante wankelde, greep nog net op tijd de rugleuning van zijn
stoel beet, en ging langzaam zitten. 'Zeg maar dat ze alle-

bei morsdood zijn. Toe, zeg het dan!' Het liefst zou hij haar door elkaar schudden. Het liefst zou hij haar... Nooit had ze een greintje gevoel getoond, altijd en eeuwig stond ze in een afwachtende houding achter de toonbank, de mensen met hun stiekeme dorpsgeest naar de mond pratend.

'Het was glad', hijgde ze.

Leo's ogen begonnen te gloeien. Buiten hamerden de sneeuwvlokken onophoudelijk tegen het venster aan. Het geluid deed zijn hoofd tollen. 'Niemand gaat toch met dit weer zo hard rijden', schreeuwde hij. 'Hij leek wel gek!'

Opa Bart had gedronken, natuurlijk had hij gedronken, het kon niet anders, hij dronk de laatste tijd aan een stuk door.

Beneden in de straat werd een portier dichtgeslagen. Er klonken stemmen, waaronder die van Anton. Leo richtte zich op en liep wankelend naar het raam. Een politiewagen stond slordig voor de winkel geparkeerd. Het zwaailicht op het dak veranderde de straat in een spookbeeld. Enkele mensen stonden doelloos op de stoep voor zich uit te staren. Aan de overkant, tussen de bomen, herkende hij de hoofdmeester van zijn lagere school. Hij droeg een wintermantel met een opstaande kraag en hield een hand voor zijn mond.

Antons stem was nu binnen. Meerdere voetstappen klonken in de winkel. Een deur ging met een zwaai open.

'Anne!' riep Anton, onder aan de trap. Er viel een stilte. 'Anne, ben je boven?'

Leo bleef onbeweeglijk staan. Tante hing met schokkend bovenlichaam over zijn tafel heen gebogen. Haar borsten strekten zich uit tot onder haar armen en een kaft van een schoolboek stak er half onderuit. Hij huiverde.

'Anne, liefje, ben je daar?' riep Anton weer. Even wilde Leo reageren, maar toen bedacht hij zich. Waarom zou hij op Antons roepen reageren als het voor tante bestemd was?

'Leo?' Er klonk voor het eerst angst en onzekerheid door de stem die altijd zo zelfbewust en onverschillig had geklonken. 'Leo? Ben je daar? Heb je tante Anne gezien?'

Het geluid van Antons voetstappen op de trap kwam dichterbij. Het leek alsof hij twee treden tegelijk nam.

Vroeger had hij zich weleens in zijn hoofd gehaald dat het Anton was, die zich aan zijn moeder had vergrepen. Tante Anne of Iris, wat maakte het uit? De zusjes mochten dan in leeftijd verschillen, ze leken als twee druppels water op elkaar. De onverdraaglijkheid van die gedachte had hem dagenlang hoofdpijnen bezorgd. Hij had gezocht naar overeenkomsten tussen zijn gezicht en dat van Anton, maar in de kleffe zwarte haren, de rood aangelopen huid en de fletse, blauwe ogen, had hij tot zijn grote opluchting geen enkele gelijkenis kunnen ontdekken.

'Ze is hier', zei hij, toen Anton met een verwarde blik in de deuropening van zijn kamer verscheen. 'Ze heeft naar je gevraagd. Ze wil naar beneden.'

Terwijl Anton zich om tante Anne bekommerde, liep Leo naar het hok van Duko en aaide hem met betraande ogen over zijn vertrouwde, warme vacht, tot hij plots een vrouwenstem achter zich hoorde vragen: 'Ben jij Leo?' Hij draaide zijn hoofd om en keek in het door zijn tranen vertroebelde gezicht van een politieagente, die hem meenam naar de keuken en een glas water voor hem inschonk. De agente ging tegenover hem zitten en bewoog haar lippen, zonder dat hij ook maar iets kon horen. Daarna werd alles zwart.

Er lag een zware winterdeken over het dorp. Terwijl de lichamen van Bart en Emma Pulsing lagen opgebaard in het mortuarium naast de kerk, leken de inwoners van Esveld de stomerij te mijden en kwamen alleen de klanten die hun gereinigde kleding nog moesten halen langs.

Op de winkeldeur hing een bordje met de beperkte openingstijden – wegens sterfgeval – en Anton had Leo toestemming gegeven bij zijn vriend Allard te gaan logeren totdat de begrafenis van zijn grootouders zou plaatsvinden.

Het verhaal over de toedracht van het ongeluk hield iedereen bezig. De bestelwagen van Stomerij Pulsing was door een scholiere te fiets aangetroffen op de weg die Esveld via de weilanden met het volgende dorp verbond. De wagen lag als een ijsschots tegen een boom.

Bart Pulsing hing half uit het openstaande portier met de veiligheidsgordel nog om zijn lichaam. Er druppelde bloed uit zijn mond en neus en zijn wijd openstaande ogen stonden nog even waanzinnig als toen hij de stomerij aan de Dorpsstraat verliet. Emma Pulsing was enkele meters uit het voertuig geslingerd en lag op haar buik in de sneeuw. Als haar blonde haren niet zo plakkerig waren geweest van het bloed, zou je denken dat ze rustig lag te slapen. Voor de arme scholiere, een meisje van vijftien uit een gezin van zeven kinderen, was psychologische hulp ingeroepen.

De politie ondervroeg als eersten Anne en Anton. Ze informeerden of er iets bijzonders was voorgevallen in de familiekring en vroegen waar Anton was op het moment van het fatale ongeluk, waarop hij met een stalen blik in de ogen en zijn hand op die van Anne verklaarde in bed te hebben gelegen omdat hij zich niet lekker voelde.

Getuigen in de winkel, die systematisch door de politie werden gehoord, beweerden Bart Pulsing te hebben gezien terwijl hij zijn vrouw aan de arm meetrok naar de bestelauto. Er stond schuim op zijn lippen en hij riep maar steeds: 'Daar zal hij voor boeten!' verklaarde een vrouwelijke getuige opgetogen, alsof het om een scène uit een spannende film ging.

Na het vertrek van de politie viel er een doodse stilte in de straten en steegjes van het dorp. Alleen achter de veilige muren van de huizen en winkels ging men druk verder met het uitwisselen van nieuwtjes en opwindende conclusies.

Bart Pulsing heeft zijn vrouw betrapt op een geheime minnaar, werd er gefluisterd in de rij wachtenden bij de slagerij. Een man van buiten het dorp. Ze was zijn zuippartijen meer dan zat en zocht haar heil elders. Het is allemaal de schuld van die schoonzoon, was het gerucht dat bij de bakker ging. Een kruiperige, achterbakse profiteur, die regelmatig geld uit de kas deed verdwijnen. En tussen de kale lindenbomen op de Brink durfde iemand zelfs te beweren nu definitief te weten wie de vader was van de twaalfjarige Leo, die jongen die je in de winkel zo vreemd aan kon staren vanachter de rekken met plastic kledinghoezen. Leo hoorde de roddels van Allard. Als hij zelf ergens binnenkwam, zweeg iedereen.

Op de dag van de begrafenis liep het hele dorp uit om de dienst ter nagedachtenis van de eigenaren van Stomerij Pulsing te kunnen bijwonen. De Hervormde Kerk aan de Brink dampte van de aanwezigheid van de belangstellenden.

Leo zat in zijn zondagse kleding voor in de kerk, tussen tante en Anton in, zijn gezicht opzij gericht naar de wijd openstaande deuren, zodat hij kon zien wie er binnenkwamen. De mensen sloegen de sneeuw van hun jassen en knikten eerbiedig bij het zien van de enorme bloemenpracht bij de preekstoel.

Het was harder gaan sneeuwen. Af en toe joeg een windvlaag de sneeuwvlokken langs de kerkdeur om ze mee te voeren in een wervelende baan. 'Sneeuwkoekjesweer', hoorde hij oma zeggen. 'Pak jij even de schorten, Lee? Jaja, je mag de beslagkom straks met je vinger uitlikken. Of ben je daar te groot voor op je zevende?' Oma liet hem zien hoe eenvoudig je eiwit en dooier kon scheiden. Met een mixer mengde ze alles en daarna duwde ze de naar kokos ruikende hoopjes deeg op het bakblik in de oven om ze er even later weer als echte koekjes uit te halen.

Al een kwartier lang telde hij bekende gezichten. De postbode, in een lange donkere jas; meneer en mevrouw Bolger van de kaaswinkel; Lucie, het meisje van de kapperszaak aan wie oma altijd wat extra's gaf; mevrouw Dalens van de bloemenzaak; de dokter; Eelco, de jongen met de hazenlip uit de ijzerhandel; zijn meester van de lagere school; slager Geert van de plakjes worst; de griezelig magere vrouw van bakker Voerendaal met haar vervelende zoontje; en natuurlijk Allard, met zijn broertje en zijn vader en moeder. Hij kwam wel tot zesendertig namen van bekende mensen.

Alleen degene die hij als jong meisje van een foto kende, ontbrak. Tot het laatste moment had hij die ochtend gehoopt haar plotseling voor de deur van de winkel te zullen zien staan, met bloemen voor het graf van haar vader en moeder. Zou ze hem eindelijk komen halen?

Directiekamer

15.40 UUR

Tot nu toe had Leo haar niet veel kans gegeven tot het stellen van vragen. De rollen waren eerder omgedraaid: hij was de vragensteller, zij de ondervraagde. Slim van hem, vond ze. Op die manier kon hij niet in verlegenheid worden gebracht door vragen waarop hij geen antwoord wist, zoals een oplossing voor het hoge energieverbruik van wellness centra, of de voordelen van geozoneerd water in zwembaden.

'Dus je werkt al langer bij de *Heuvelland Post*.' Zonder Julies reactie af te wachten, drukte Leo zich op uit de directiestoel en liep naar het raam.

Ze was tien minuten geleden in haar badjas voor zijn bureau gaan zitten en met elke minuut die verstreek er meer van overtuigd geraakt dat hij inderdaad de Leo was die ze voor ogen had. Terwijl hij naar buiten tuurde, observeerde ze zijn licht kalende achterhoofd, zijn smalle schouders, zijn benen en billen, waarvan de contouren nauwelijks zichtbaar waren in de ruimvallende broek die hij droeg, en bedacht: zoals ik hem nu zie, zo van achteren, is hij een normale vent van tegen de veertig. Maar zodra hij zich weer omdraait, is de symmetrie uit hem verdwenen. Ze was destijds te jong geweest om te begrijpen dat niet alleen in zijn gezicht, maar ook, en vooral, in zijn geest het evenwicht ontbrak. Hij had haar op de camping van alles verteld over zijn jeugd, en ze had naar hem geluisterd alsof het om een spannend fragment uit een sciencefiction verhaal ging. Sommige van zijn opmerkingen had ze als pure fantasie beschouwd, stoerdoenerij om indruk op haar te maken. Voorzichtig liet ze haar hand in haar saunatas glijden om te zien of haar baas al iets van zich had laten horen. Haar vingers raakten de kaft van haar boek, haar pakje sigaretten, haar kam, en bereikten net haar koele, glibberige gsm, toen Leo zich plotseling omdraaide en opmerkte: 'Laat dat mobieltje maar zitten. En zet die tas terug op de grond.'

Met een blos op haar wangen volgde ze Leo's instructies op. Tot twee keer toe had hij haar nu betrapt met haar telefoon. En dat terwijl er overal in de sauna bordjes hingen waarop een mobieltje stond met een felrode streep erdoor.

Leo ging weer tegenover haar zitten, trok de bovenste lade van het bureau open en haalde er na wat zoeken een paperclip uit. Zonder verder acht te slaan op Julie begon hij de clip open te vouwen, tot hij een recht staafje had met aan het eind een rare lus. 'Je denkt zeker dat ik mijn oor ga schoonmaken, hè?' vroeg hij met een vies lachje. 'Nou? Geef het nou maar eerlijk toe dat je het een heel eng oor vindt.'

Julie schudde snel van nee en pakte demonstratief haar notitieblok op om aan te geven dat ze zo zou gaan, maar Leo schoof zijn stoel iets naar achteren en staarde met de clip in zijn hand naar de onderste lade van het bureau. Pas toen een stem via de intercom de Finse opgieting van kwart voor vier aankondigde, leek hij uit zijn overpeinzingen te ontwaken en vroeg hij: 'Je had toch nog wat vragen over het milieu?'

In een handschrift dat ze nauwelijks herkende als het hare maakte Julie aantekeningen terwijl Leo antwoord gaf op vragen die ze in haar hoofd keurig op een rijtje had gezet en waarvan de helft haar niet meer te binnen schoot. Bij ingewikkelde kwesties, waarvoor Leo verbazingwekkend originele oplossingen wist, ging zijn hand naar zijn linkerslaap en wreef hij nadenkend over de vlezige roze plek bij zijn oor.

Pas toen Julie hem bedankte en aangaf over voldoende materiaal te beschikken voor haar verslag, fronste hij zijn voorhoofd en zei hij: 'Je schrijft voor de lifestyle pagina. Over dingen die gebeuren tussen mensen.'

'Relaties, ja. Vijfenzeventig procent van mijn werk gaat over relaties.' Ze meende een glinstering te zien in zijn ogen, een moment van emotie, of was dat louter verbeelding? Zoveel gevoel voor verhoudingen tussen mensen had hij niet, dacht ze. 'Daar bestaat het hele leven toch uit? Uit relaties?'

Leo leunde naar achteren, waardoor zijn bovenlichaam het binnenvallende zonlicht onderschepte en een grillige schaduw wierp op de kantoormuur. 'Mag ik je dan iets vragen?' vroeg hij. 'Iets persoonlijks?'

Dit is het moment. Nu gaat hij toegeven al die tijd geweten te hebben wie ik ben.

'Zul je het niet in je artikel opnemen?'

Julie voelde het bloed door haar vingers pompen. Haar pen leek wel een tijdbom. 'Ik schrijf alleen dat op, waar ik zelf achter sta. En als iets te persoonlijk wordt, verander ik namen.'

'Het is alleen maar een vraag. Een intieme vraag.'

Julie stopte snel haar pen en blocnote terug in haar saunatasje. 'Ik zal niks noteren. Beloofd.'

Leo greep een elastiekje dat rondslingerde op het bureau en begon het met beide duimen uit te rekken. 'Heb je kinderen?' vroeg hij na een tijdje.

'Nee, nee ... nog niet nee.'

'Het is misschien een rare vraag, maar stel nou, je krijgt een kind van iemand.' Hij stopte even, alsof hij naar de juiste woorden zocht. 'Een kind van niet zomaar iemand, maar van een man in wie je vertrouwen had, maar die je misbruikte.'

Julie slikte een brok in haar keel weg. Het geluid van het op en neer gaan van haar adamsappel kreeg iets lugubers in de stilte van het vertrek. Ze keek naar Leo's handen. Het elastiekje was nu zo ver opgerekt dat het elk ogenblik kapot kon knallen.

'Stel dus dat dat zo is. Zou je je kind dan kunnen wegdoen? Zomaar weggeven na zijn geboorte?' Met een schok vloog het elastiek als een worm over het bureau en kwam vlak naast Julies stoel op de houten vloer terecht. Ze schrok ervan, al had ze dit kunnen zien aankomen.

Ze ging verzitten en kuchte een paar maal. 'Ik zou het niet weten', prevelde ze. 'Ik zou het werkelijk niet weten.'

Restaurant

Hij had zich laten gaan door een bizarre vraag te stellen aan een nietsvermoedende journaliste die zich daarmee geen raad wist. Waarom had hij haar ook gevraagd of ze moeder was? Hij had haar willen testen, willen uitvinden hoe ze reageerde. Ik zou het niet weten, was het enige wat ze met haar muizenstemmetje had weten uit te brengen. Hij had het kunnen verwachten toen ze zijn opmerkingen over het milieu en de ozonlaag klakkeloos noteerde. Uit zijn duim had hij de antwoorden op haar vragen gezogen, nee, uit zijn oor. Door naar zijn oor te grijpen, iets wat ze telkens weer met een vreemde blik in de ogen had geobserveerd, had hij de indruk gewekt serieus na te denken over de hocus pocus-vragen voor de *Heuvelland Post*.

Ze had hem niet herkend, dacht hij. Maar toen zij binnengekomen was, en haar rode haren even in de duisternis achter de deur hun kleur verloren, had híj haar wel herkend. Zijn hersens waren als een razende gaan werken. De camping. Blond was ze toen. En bangig, maar dat vond hij wel leuk. Julie. Juultje. Hij mocht haar alleen maar in haar nek zoenen. Urenlang hadden ze door de duinen gesjouwd en over het strand. Ze was toen al net zo nieuwsgierig als nu. Wat had hij losgelaten over zijn verleden en wat wist zij daar nu nog van? Hij zag het mes weer voor zich, waarmee hij een snee had gemaakt in hun vingers. Ze had hem gezworen nooit aan iemand de waarheid te zullen vertellen. Waar kwam ze verdomme zo plotseling vandaan? Was het toeval dat ze op dezelfde dag opdook als dat dikke mens, dat sprekend op tante Anne en zijn moeder leek? Had John hier iets mee te maken?

Leo liep naar de koffiemachine in de bar en controleerde in het glanzende staal de vlekken in zijn nek. De talkpoeder bracht de zenuwen die onder de oppervlakte van zijn huid rondgierden aardig tot rust. Nu moest hij Berry nog eens vragen naar dat magische drankje waardoor zijn hersenen niet langer in diagonalen en parabolen dachten, maar in rechte lijnen, vrolijke rechte lijnen, want vanaf de opening van het hooibed chalet was hij in opperbeste stemming geweest. Hij had alles onder controle, dankzij Berry's wonderbrouwsel. Wie weet zat daar wel handel in. Illegaal natuurlijk, hij kon zich niet voorstellen dat zoiets toegestaan was. Misschien moest hij met Berry een xtc-lab opzetten, als zijn werk hier voorbij was. Dat zou wel niet lang meer duren.

Hij pakte zijn agenda en schonk voor zichzelf een banannen-kokossmoothie in, waar hij een flinke scheut amaretto aan toevoegde. Volgens de planning was hij straks aan de beurt om de löyly te doen in de buitensauna, achter op het terrein. Een dertig minuten durend ritueel waarin hij al aardig bedreven was geraakt.

Nadenkend kauwde hij op het knopje van zijn balpen. Drie verschillende opgietmengsels zou hij gebruiken, de eerste op basis van hooibloemen (iets toepasselijkers was er niet op deze hooibeddag), de tweede met zeewier en de laatste met sandelhout. Hij zou Berry om sinaasappelpartjes vragen en een emmer met ijsblokjes, hoewel hij dat laatste als een hype beschouwde en hij zich afvroeg wie er op het onzalige idee was gekomen je poriën te sluiten met bevroren water op het moment dat ze net allemaal openstonden bij een temperatuur van minstens 86 graden. Niemand had daar baat bij. En hij kon het weten.

Infrarood sauna

15.55 UUR

Julie sloeg haar handdoek open en legde hem op de houten bank voor de infraroodlampen. Achter in de sauna zaten twee mannen zachtjes met elkaar te praten. Verder was er niemand. De meeste gasten kozen voor een traditionele sauna, in plaats van een saaie infrarood, maar hier kon ze de spanning in haar hoofd wat loslaten en zou ze ook niet worden lastiggevallen over het gebruik van haar mobiele telefoon, die op 'mute' stond en onder in haar saunatasje zat dat aan het haakje in de gang hing.

Met Eve en Narcissa erbij had ze toch op moeten passen haar herinneringen aan Leo niet in woorden te laten ontsnappen. Ze sloot haar ogen en liet de infraroodstralen inwerken op haar lichaam. Het litteken bij Leo's oor. Leo's vreemde gedrag en het uitblijven van een gevoel van herkenning bij het zien van haar gezicht en het horen van haar naam. Kwam het doordat ze vroeger Juul werd genoemd, in plaats van Julie? Of doordat ze de laatste tijd haar haar rood verfde?

Ze keek naar het minuscule littekentje op haar vinger. Ze kon de scherpe snijkant van het zakmes in Leo's hand zo weer voor zich zien.

'Dit is Buck', had hij met een geruststellende stem gezegd. 'Buck is van roestvrij staal.' Hij hield het mes bij Julies gezicht, zodat ze de naam in het glimmende staal kon lezen.

Buck usa, had ze bij zichzelf gezegd. 'Waar heb je dat vandaan?'

'Gevonden.' Leo trok zijn shirt omhoog en zijn broek wat omlaag en drukte de punt van het mes onder zijn navel tegen zijn buik aan. 'Met zo'n mes is mijn moeders buik opengesneden toen die op ploffen stond. Het bloed spoot tegen het hoofd van de dokter aan.' Hij lachte grimmig. 'Zijn hele operatiebril zat onder de spetters!'

Julie had een zurige smaak in haar mond gekregen. Ze moest terug naar de tenten en caravans aan de andere kant van het terrein! Ze was dom geweest om over het verhaal achter zijn litteken te beginnen. Had ze zich maar ingehouden. Nu was het te laat.

'Wees maar niet bang, Juul.' Leo trok zijn shirt weer naar beneden en legde zijn hand op Julies trillende arm. 'In mijn buik zit geen bastaard, hoor, die eruit moet.'

Julie maakte aanstalten om op te staan, maar Leo hield haar tegen.

'Je heb het beloofd. Je bent er zelf over begonnen', riep hij verontwaardigd. 'Je hebt A gezegd, nu moet je ook B zeggen.' Hij zweeg en staarde naar de sterrenhemel. 'De B van Bloed. Als je een groot geheim met iemand deelt, moet dat door je bloed worden bezegeld.'

Zonder nog een moment te aarzelen, maakte hij een snee in het topje van zijn wijsvinger, die hevig begon te bloeden.

'Nu jij. Je wilt mijn geheim toch weten? Of moet ik het voor altijd voor mijzelf houden?'

Ze schudde haar hoofd. Aarzelend hief ze haar hand op en zette haar tanden op elkaar. Ze mocht zich niet op het allerlaatste moment laten kennen. Dan had Leo helemaal voor niets een snee in zijn vinger gemaakt.

Door haar oogspleten volgde ze de punt van het mes die hij tegen haar wijsvinger duwde, vlak boven haar nagel. Ze voelde een korte prik, als van een injectienaald, en een rood speldenknopje bolde op op haar huid. In een reflex wilde ze haar vinger in haar mond steken, maar Leo hield haar hand tegen en vermengde het bloed van zijn eigen vinger met dat van haar.

'Zo is het geheim versmolten', zei hij plechtig, en hij duwde Julies vinger in haar mond. 'Nu mag je de waarheid opzuigen.'

Julie hoorde met een klap de saunadeur opengaan. Het licht vanuit de gang werd geblokkeerd door een gigantische vleesmassa met borsten waarop zweetdruppeltjes als vuurvliegjes schitterden.

Een hete hand greep Julie bij de keel. Als de vrouw in de deur vast blijft zitten, ben ik hier opgesloten met die twee mannen. De brandweer zal erbij moeten komen. Al die tijd zit ik hier met mijn handdoekje omgeslagen. Fantastisch voor mijn artikel, maar nu komt alles wel erg dichtbij.

De vrouw werkte zich al draaiend naar binnen, waarbij de deurscharnieren kraakten, en schuifelde naar de bank tegenover Julie. Ze bukte om haar handdoek neer te leggen, en liet zich voorzichtig zakken. De bank leek klagend haar gewicht te aanvaarden. Met een zucht klikte ze het knopje van de infraroodlampen aan. Op hetzelfde moment ging bij Julie het licht uit.

Zonder te aarzelen drukte Julie weer op het groene knopje voor een nieuwe ronde, haar ogen gericht op de kolossale gestalte aan de overzijde. De vrouw zat een beetje naar voren gezakt, met de onderrug tegen het houten beschermrooster van de infraroodelementen aan. Ze hield haar benen gespreid, waardoor een grote bruine vlek op haar dijbeen, vlak bij haar schaamhaar, zichtbaar werd. Haar ogen waren gesloten en ze omklemde met beide handen de rand van de bank, alsof ze bang was uit haar evenwicht te raken en voorover te vallen. Boven aan haar rechterarm zat een tatoeage, een vlinder met wijd opengespreide vleugels. Aan haar handen kon je zien dat ze niet meer zo jong was en op haar hoofd, bij de haarinplant, zaten grijze haren die overgingen in een onbestemde kleur bruin.

Julie deed haar ogen dicht. Leo's tante was ook zo dik geweest, had hij verteld. Hij had met een stok in het zand een tekening gemaakt van een soort Michelinmannetje. 'Was ze werkelijk zo dik?' had ze hem spottend gevraagd, ervan uitgaand dat hij overdreef.

'Nog veel dikker', had hij met een stalen gezicht geantwoord. 'Je zou het niet geloven, maar in de schaduw van mijn tante konden twee koeien lopen. En mijn moeder was ook zo dik. Daarom moest ze een keizersnee.'

De beide mannen stonden op en groetten in het voorbijgaan. De vrouw verroerde zich niet. Ze heeft vast een lange, moeizame weg af moeten leggen om hier te komen, bedacht Julie. Ze is bekaf. Als ik haar op de relaxweide niet levend voor me had gezien, zou ik denken dat ze nu op een haar na dood is.

Voor haar artikel was ze een interessant object. Obesitas en saunagebruik als kapstok. Of bloeddruk en saunagebruik. Ze wilde haar graag interviewen en formuleerde in haar hoofd haar eerste vraag. 'Komt u vaker in deze sauna?' zou ze heel simpel beginnen. Leo reageerde erg vreemd toen hij haar zag liggen op die stretcher. Zou hij haar soms kennen? Dat kon ze dan ook meteen vragen.

De deur van de sauna ging weer open. Narcissa en Eve kwamen binnenlopen. Ze hadden een blik in de ogen die eigen is aan mensen die zich eerst bescheiden opstellen en daarna opeens hun hele hebben en houwen aan je kwijt willen omdat je voor een krant werkt.

Julie stond op en liep met haar wijsvinger op haar mond naar de uitgang. Eve lachte zoals gewoonlijk en knikte begrijpend, haar ogen eerst op Julie, daarna op de vrouw op de bank gericht. Narcissa trok haar wenkbrauwen op en zei zachtjes, haar lippen tuitend zodat ze nog groter werden dan ze al waren: 'We zien je later nog wel.'

Gespannen haalde Julie in de gang haar telefoon tevoorschijn. Er was eindelijk een bericht van Victor, haar baas.

Toiletten

16.10 UUR

Op deze plek zal Leo me niet lastigvallen met gezeur over mijn telefoon, dacht ze. Een raar gevoel om naakt op het toilet te zitten in een openbare gelegenheid.

Julie keek op de display en las de mail van haar baas: *Beste Julie, Leo van 't Sant komt niet in ons archief voor, kan hij een andere naam hebben aangenomen? Volgens mij is dit wat je zoekt. Zit rest van middag in vergadering. Artikel komt uit ons eigen archief. Er is natuurlijk meer. Geef me wat tijd. Tot later. V.*

P.S. Kan dit niet wachten tot morgen?

Nee, dacht ze, dit kan absoluut niet wachten tot morgen.

❈

Leo greep een vloerveger en schoot de toiletten binnen, waarbij hij op een haar na een man met een rood-witte stok ontweek. Wat doet die slechtziende of blinde man hier in de sauna? vroeg hij zich af. Straks glijdt hij nog uit en is het mijn schuld. Dat zou niet mooi staan in de krant. Blindeninstituten worden hevig gesubsidieerd. Die kunnen zich toch wel een eigen sauna veroorloven? 'Verboden voor blinden en slechtzienden' moesten ze maar in het huisreglement gaan opnemen.

Hij leegde de prullenbak in een plastic zak en maakte een grote veeg over de vloer. Schoonmaken hoort niet bij mijn nieuwe status, dacht hij, maar ik moet even mijn hoofd weer op orde brengen met een onnozel klusje, ver van Berry en de serveersters. Achter de bar staan brengt me op vreemde gedachten.

Hij opende de toiletdeuren, zag dat er twee gesloten waren, en veegde het water rond de potten weg. Ongelooflijk wat een rotzooi mensen toch konden maken. Nat toiletpapier, natte vloeren, papieren handdoekjes in de wc. In naakte mensen kwam het beest naar boven. Leo veegde het water naar een putje in de stenen vloer en stopte bij een van de spiegels. Achter hem werd een toilet doorgetrokken en een vrouw kwam naar buiten. Ze groette hem in de spiegel met 'Dag meneer Van 't Sant' en liep na het wassen van haar handen weer weg. Dat krijg je met die gasten, dacht hij. Je houdt een toespraak voor ze op het terras, je laat zien hoe lekker je in je vel zit en ze gaan je meteen als een goede vriend beschouwen. Straks mocht hij de opgieting doen en zouden ze vanaf de houten banken afwachtend in zijn richting staren, terwijl hij de kachel naar een extatisch hoogtepunt voerde. Hij zou zich omdraaien en met een natte handdoek, als een messias, een heiland in een korte broek en een T-shirt, zijn evangelie als een heilzame kruidendamp over zijn naakte volgelingen verspreiden.

Wat een hemelsbreed verschil met zijn vorige baantje als lullig assistent-zwemleraartje. Wat hij nu beleefde had niks meer te maken met de Leo Pulsing van toen, het ondergeschoven joch van de stomerij aan de Dorpsstraat in Esveld, hier was hij Leo van 't Sant: de saunagod.

Toch moest hij niet overmoedig worden. Verleden, heden en toekomst liepen hier zo door elkaar dat hij zichzelf af en toe tot de orde moest roepen. God wat werkte dat spul van Berry toch goed!

Hij maakte met een doekje de drie toilettafels schoon en wachtte totdat ook de laatste gesloten deur zou worden geopend.

❊

Julie liet haar telefoon bijna uit haar hand glippen bij het horen van de naam Van 't Sant. Ze keek onder de deur door naar de sandalen die even voor haar toilet bleven staan en daarna weer verdwenen.

Er kwamen nieuwe mensen de toiletruimte binnenlopen. 'Doe de groeten aan John', hoorde ze iemand zeggen. Het geluid van de veger werd gelukkig vager. Leo moest nu in de gang zijn.

Julie draaide zich al zittend om en trok het toilet door. Ze opende het pdf-bestand waarin een artikel stond uit de *Heuvelland Koerier*, zoals de krant toen nog heette. BRAND STOMERIJ BLIJFT MYSTERIE, stond er met vette letters. Vlak daaronder was een foto geplaatst van Stomerij Pulsing & Zn met een familieportret, uit betere tijden. Ja, Pulsing, zo heette hij. Hoe kwam hij aan die naam Van 't Sant? Ze moest weer denken aan de vakantie aan het strand, vijfentwintig jaar geleden. Ze vinkte de foto groter. Het jongetje in het midden, met de hand van wat zijn grootvader leek op zijn schouder, moest Leo zijn op acht- of negenjarige leeftijd. Een mager scharminkel met blond haar en een weinig spontane glimlach.

Zo kon ze hem zich niet voor de geest halen. Bovendien was het moeilijk omschakelen van een hoofd met slechts één oorschelp naar een normaal hoofd, zoals hier op de foto het geval was. *Was de brand in de stomerij aan de Dorpsstraat een wraakaktie?* las ze. Anne Pulsings neefje Leo (14), die bij haar woonde, moest met tweedegraadsverbrandingen aan zijn hoofd per helikopter naar het brandwondencentrum worden afgevoerd en kon zich later weinig of niets herinneren van de ramp. En even verder stond: *Forensisch en toxicologisch onderzoek heeft in eerste instantie niet kunnen aantonen dat er opzet in het spel was. Ook de grote vlek op het bovenbeen van het slachtoffer was niet het gevolg van verminking met een hard voorwerp of verbranding door een chemische stof, zoals aanvankelijk werd aangenomen, maar bleek een aangeboren moedervlek te zijn die volgens een behandelend huisarts uit het dorp ook bij andere leden van de familie voorkwam.*

Het begon Julie te duizelen. Die vlek op het been van de vrouw in de infrarood sauna? Zou dat dan...?

'Alles in orde hier?' klonk een vrouwenstem. De woorden kwamen meer als een bevel over dan als een vraag. Iemand was naar haar op zoek. Leo liet haar constant volgen en had nu iemand van het personeel op haar spoor gezet.

Voor de tweede keer trok Julie de wc door, stopte haar telefoon in haar badhanddoek en opende de deur. Ze keek in het lachende gezicht van Anika, het meisje van de receptie.

⁂

Leo zette de vloerveger terug in de werkruimte en liep naar de hoofdingang. Hij mocht dan zelf meer dan tevreden zijn over het verloop van de dag, zijn collega's konden daar best anders over denken. Hij zou Anika persoonlijk bedanken voor haar inzet tijdens de opening van het hooibed chalet. Anika was een spontane meid en zou een goed woordje voor hem doen bij John, als dat nodig was. Bovendien kon ze met haar natuurlijke charme nog een gunstige draai geven aan de aanwezigheid van die journaliste. Anika kende de ins en outs van het wellnesswereldje als geen ander en kon haar prima uitleg geven over dat hooibed. En daarna zou hij Berry vragen of hij nog wat van dat goddelijke drankje voor hem had. Berry had precies begrepen wat hij nodig had om goed te kunnen functioneren.

EEN FLUWELEN BEDJE

❀

Met de komst van Anne en Anton in het huis aan de Dorpsstraat in Esveld, verdween de ziel van oma Pulsing er voorgoed.

Anne schonk alle meubels van haar ouders aan een liefdadigheidsinstelling, met uitzondering van de keukentafel, waaraan ze was grootgebracht, en haar vaders gemakkelijke stoel. Daarin zat Anton nu na het werk vaak hoestend aan een sigaar te trekken met een mooi bandje erom, volgens hem het enige nuttige wat zijn schoonvader hem had nagelaten.

Anne las keukenmeidenromannetjes achter de toonbank en kweet zich daarnaast, vaak mopperend, van de huishoudelijke taken. Die beperkten zich tot koken en vuile kleren in de trommel van de wasmachine duwen. Het huis, dat eens zo blonk, veranderde in een stoffig, plakkerig nest. Op Antons vraag of ze niet wat beter haar best kon doen, had ze beweerd dat ze niet mocht bukken en schrobben van de dokter, want dan begon haar hart vreselijk te bonzen.

Behalve de dominee, die van tijd tot tijd een praatje kwam maken over het leven na de dood, bracht niemand een bezoek aan het verweesde gezin in de woning achter de eeuwenoude gevel van de stomerij.

In de winkel, waar stille en drukke periodes zich gewoonlijk afwisselden, bleef het rustig. Er hingen steeds minder plastic kledinghoezen aan de rekken en Anne begreep niet waar dat aan lag. 'De klanten blijven zomaar weg, ik snap het niet, ik snap het niet', verzuchtte ze regelmatig, terwijl ze voor de zoveelste keer van de toonbank naar de keuken waggelde om troost te zoeken in de koelkast.

Leo vluchtte na schooltijd naar zijn kamer, of sprak tegen zijn konijn, en werkte op vrije dagen mee in de stomerij, die hij volgens Anton zonder dat hij daar iets voor had hoeven doen cadeau had gekregen na de dood van zijn opa.

Op Leo's vraag waarom juist hij de zaak moest overnemen, antwoordde Anton met een wrange stem: 'Zo hebben je opa en oma het nou eenmaal gewild. Jouw bedje is gespreid. Je tante en ik mogen je opvoeden, maar als je volwassen bent, kun je met de stomerij doen wat je wilt. Tot die dag zul je naar je tante en mij moeten luisteren. Knoop dat goed in je oren!'

Anton vond huiswerk maken een luxe die bij kinderen paste uit rijke families. Anton had ook nooit gestudeerd om kleding te leren reinigen en waarom zou hij, Leo, het dan wel moeten.

'Zodra je de leeftijd van de leerplicht voorbij bent,' zei hij met irritatie in zijn stem, 'kun je lekker de hele dag aan de slag in de zaak.' Over het wegblijven van de klanten sprak Anton nooit, en Leo hield daarover wijselijk zijn mond, bang als hij was de sporadische uitstapjes met Allard en diens vader naar het voetballen in de stad te moeten inleveren.

Anne begon steeds meer op een vetgemest varken te lijken. Soms dacht Leo dat ze in verwachting was, maar er kwam nooit een kind. Allard had daar een hele wijze theorie over ontwikkeld, die aannemelijk klonk. Volgens hem had zijn tante, net als haar zus, een vleesboom, iets griezeligs dat bij vrouwen in de buik groeit en zich naar alle kanten vertakt.

Leo opende de lade van zijn tafeltje, dat meer weghad van een gewone keukentafel dan van een echt bureautje, zoals iedereen op school had, en zocht met zijn hand naar het doosje met de pen die hij op de dag van oma's ongeluk in de kelder had gevonden. Behalve de tekeningen, die hij nog net op tijd had kunnen redden voordat ze in een vuilcontainer verdwenen, en een paar foto's in een familiealbum, was de pen het enige wat hem herinnerde aan zijn moeder.

Voorzichtig haalde hij de pen uit zijn fluwelen bedje en liet hem in zijn hand draaien. Hij schitterde in het zonlicht dat door het venster naar binnen viel en wierp een lichte vlek op de wand voor hem. Speels verplaatste Leo die naar het plafond en weer terug naar de wand. Hij liet de lichtvlek naar de tekening lopen, waarop hij zichzelf als jongetje had afgebeeld met een bloem in zijn hand in een veld, onder een grote grijze onweerswolk. Door de reflectie van het licht werd de wolk ineens wonderlijk licht van kleur. Een rilling trok door zijn lichaam. Het is een teken van oma, dacht hij. Zo laat ze me zien dat het nog niet te laat is. Zo wil ze me zeggen dat er nog hoop is, dat ik weg moet, weg uit dit dorp.

Op de plek waar je de pen met duim en wijsvinger vastpakte, stonden de initialen G.B. Hij kende niemand die bij die letters hoorde. Een zilveren pen met de letters G.B., zei hij in zichzelf. Zou de pen wel van mijn moeder zijn geweest of had oma hem van een vriendje gekregen, vroeger? Toen ze nog jong was. Een vriend die beter bij haar paste dan opa, een die haar niet sloeg. Hoe had oma zich zo kunnen vergissen door met opa Bart te trouwen?

De pen was licht en schreef mooi. Hij zette een voornaam met een G en een achternaam met een B op papier. Daarna nog een keer. En nog een keer. Ongelooflijk hoeveel namen met een G en een B hij kon verzinnen.

Beneden klonk de stem van tante Anne. Hij moest de tafel dekken voor het avondeten. Rond deze tijd had Anton de halfvolle trommel van de reinigingsmachine leeggehaald en zat hij in zijn stinkende kleding in opa Barts stoel een sigaar te roken en een glas jenever te drinken.

Hij vocht tegen zijn tranen bij de gedachte aan oma's aanstekelijke lach, die hij in de maanden voor haar dood steeds minder vaak hoorde. Aan de angst op haar gezicht als ze weer eens door opa Bart was geslagen, en haar tegenstribbelende, machteloze lichaam, toen ze in het schijnsel van de lantaarnpalen in de bestelbus werd geduwd.

Weer klonk tantes stem. Hij wreef met zijn vuisten in zijn ogen, trok de lade van het tafeltje open en stopte het doosje met de pen diep weg. Met tegenzin stond hij op uit zijn stoel. Op een dag zal ik er met Duko vandoor gaan, dacht hij. Op een dag zal ik van tante en Anton verlost zijn. Zonder oma heb ik hier in dit dorp toch niets meer te zoeken.

Hooibed

16.30 UUR

Anika stapte het hooibed chalet binnen en opende het raam dat uitzicht bood op een zonovergoten alpenweide, een op een groot doek geschilderd trompe-l'oeil met grazende koeien. Behalve de rode gordijntjes, die bedrukt waren met tientallen edelweissbloempjes, was alles in de hut van hout.

'Een heerlijk voorverwarmd hooibed, even een moment helemaal voor jezelf', kondigde ze aan op haar eeuwig opgewekte wellness-toontje. 'Goed voor je immuunsysteem en de doorbloeding van je lichaam.'

En ook heerlijk voor wat prikkelende seks, dacht Julie. Zo te zien was het bed breed genoeg om er met zijn tweeën op te liggen. Hijgend met je Zwitserse berggids de hut bereiken, de kurk uit de fles sekt knallen die hij al die tijd op zijn gespierde rug heeft meegedragen, elkaar uitpakken, beginnend bij de reusachtige sexy bergschoenen, en duizelig van de hoogte en het schitterende uitzicht samen in het hooi verdwijnen, dat al gauw niet meer alleen naar veldbloemen en frisse blauwe lucht zal ruiken.

Een reportage over de ervaring van bergbeklimmers die op duizelingwekkende hoogte in een minitentje neuken zou een leuk onderwerp zijn voor een volgend lifestyle artikel in de krant. Ze zag de gezichten al voor zich tijdens de redactievergadering. Neuken op de Annapurna, stel ik jullie voor. Klaarkomen op de top van de wereld. Daarover heeft nog nooit iemand geschreven.

Er zou een ongemakkelijke stilte vallen, waarna de redactiesecretaresse haar pen zou neerleggen en met haar benepen stemmetje zou vragen: Met of zonder zuurstoffles? Wat bedoel je precies, Julie?

Victor zou zenuwachtig beginnen te kuchen, opstaan en haar apart nemen om te vragen of ze er niet een tijdje tussenuit moest. Een burn-out. Niet erg, kan iedere journalist overkomen.

Anika spreidde een groot wit onderlaken uit over het hooi en liep naar een stapeltje cd's dat op een kastje lag: 'Wat wil je graag horen?'

'Wat heb je?'

'Dolfijnen, nee dat is niks, eens kijken, parende zeekoetjes,' ze giechelde, 'Australische ijsvogels, ook niks, oh, dit, dit is wel iets toepasselijks...'

Op de achtergrond klonk nu een Tirools deuntje. Het is allemaal van een ontspannen kitscherigheid, dacht Julie, en ze ging op bed liggen. Je zou er bijna van in slaap vallen.

'Nog even alles samenvatten: de deur sluit automatisch aan de buitenkant, zodra ik hem dichttrek. Dus hij kan alleen van binnenuit worden geopend. Als er iets gebeurt, druk je op de rode alarmknop bij het hoofdeinde van het bed.'

'En hoe weet ik dat mijn tijd om is en de volgende klant voor de deur staat?'

'Daar zorgt hij wel voor.' Anika wees naar de koekoeksklok aan de wand naast het open venster. 'De deurtjes zijn nu nog dicht, maar je schiet meteen wakker, neem dat maar van mij aan, zodra dat beest zijn bek opendoet.' Ze sloeg lachend de laatste restjes hooi van haar kleding en trok met een ferme ruk de deur achter zich dicht.

Julie had in haar hoofd aantekeningen gemaakt van de *must knows*, zoals Anika het noemde, onontbeerlijke kennis voor iedereen die een wellness center wilde bezoeken, informatie die ze buiten op de relaxweide had opgedreund alsof het ging om de dienstregeling van de veerboot naar Texel.

Woorden als ontslakken, kleurentherapie, chi-yang, chocoladepakkings en hot stones tuimelden door Julies hoofd op zoek naar een bestemming in een regel, een aaneengeregen serie woorden waaruit haar artikel zou worden opgebouwd. Maar in plaats van gewillig mee te werken aan de opbouw van een logisch verhaal, leken de woorden zich op te stapelen en een toren te vormen die elk moment kon instorten.

Ze geeuwde en keek naar het raam. Een paar zwarte koeienoren staken net boven de vensterbank uit. Die levensgrote poster is zo realistisch, dacht ze, dat je in dat stilstaande landschap elk moment een woeste vent met een hooivork verwachtte, een Leo, op zoek naar ontsnapping. Hij moet gedacht hebben bij John een rustig leven te kunnen leiden. Tot zijn verleden weer opdoemde in een uitgelubberde ligstoel op een relaxweide.

Er trilde iets tegen haar dij aan. Ze haalde vanonder het hooi haar telefoon tevoorschijn en zag dat het Victor was. *Pas je op?* schreef hij. De slijmjurk. Alsof hij met haar te doen had. *Begin me zorgen te maken nu ik bijgaand artikel heb gelezen. Is het die Leo? Lijkt me een verknipt type. Hou je haaks. Een scoop is fantastisch en ik weet dat elke journalist ernaar hunkert. Maar je moet er niet alles voor over hebben. Kan ik je bellen? V.*

Julie zat in een keer overeind. Straks kwam Victor nog langs om haar hier weg te halen. Die ene kans in haar saaie carrière iets sensationeels te kunnen opschrijven, zou voor altijd aan haar neus voorbijgaan.

nee bellen kan hier niet, antwoordde ze snel. *alles kits. het is niet zeker. kan me vergissen. er bestaan meer mensen met vreemde oren. J.*

Victors artikel besloeg een kwart pagina. Er stond een foto bij van een zeer dikke vrouw die er ongezond en opgeblazen uitzag. Anne Pulsing, stond eronder, Leo's tante, het enige dodelijke slachtoffer van de brand. Julie zag heel wat overeenkomsten met de vrouw in de infrarood sauna. Zou dat haar zus zijn, Leo's moeder? Hij kon haar wel iets willen aandoen, bedacht ze ineens. Een glijpartij veroorzaken in een donkere gang, een vloerveger tussen haar benen steken, haar in een saunaruimte duwen, de deur sluiten en de temperatuur opvoeren, zodat hij haar langzaam liet stikken.

Er was ook een fotootje van Leo zelf. Julie zoomde in en bracht de display dichter bij haar gezicht. Het kon niet missen. Ze keek in de ontwijkende blik van een jonge Leo, zoals zij hem had leren kennen op de camping, alleen nu met een groot verband om zijn hoofd.

Er werd veel aandacht gewijd aan de ex van Anne Pulsing, een zekere Anton V. De recherche was wonder boven wonder op een intact gebleven brief van deze Anton gestuit, waarin hij met maatregelen dreigde als Anne Pulsing niet met geld van het bedrijf over de brug kwam. Anton V. had een tijdje in voorarrest gezeten en was bij gebrek aan bewijs weer vrijgelaten. De verdenking was daarmee nog niet van de baan.

Over Leo stond geschreven dat een vrouwelijke politiemedewerkster weinig uit hem had gekregen over de situatie op de avond van de brand en dat hij – toen hij eenmaal aan de beterende hand was – de hele dag in bed tekeningen zat te maken van vlinders, varkens en konijnen.

Julie keek naar de noesten in de houten planken waaruit het dak van de hut was opgebouwd. Sommige waren mooi rond, andere grillig van vorm, met uitstulpingen, vreemde gezwellen met donkere, duistere plekken.

In een traag gebaar stopte ze haar telefoon weer weg onder het hooi, strekte zich uit en sloot haar ogen. Ze snoof de aroma's op die het vertrek vulden en zag zichzelf liggen op de alpenweide omgeven door grazende Milka-koeien. Ze telde in het Duits van een tot tien, en daarna terug van tien naar een. Het terugtellen gingen bijna sneller dan het heentellen.

Ze hield van terugtellen, van achteruitfietsen, van tegendraads zijn. Na maandenlang oefenen met haar hartsvriendinnetje van school, was ze in staat geweest over een grote afstand achteruit te fietsen. Jaloerse pestkoppen beweerden dat je niet kon terugfietsen, zelfs niet als je achterstevoren op het stuur van je fiets ging zitten, maar ze bleef volhouden dat je een beweging naar achteren maakte en niet naar voren. Het avontuur was op een dag geëindigd met een flinke klap tegen een hek met prikkeldraad, iets waarvan ze nu nog de sporen kon zien tussen de sproeten op haar rechterarm.

In de verte klonk de torenklok van het idyllische bergdorpje. Haar lichaam werd zwaar en zakte dieper weg in het hooi, dat niet langer prikte maar zacht was als sappig gras.

Julie liet zich meevoeren door de muziek, die was overgegaan in panfluit. Ze zag net de Griekse god Pan met geitenpoten over de alpenweide struinen om de koeien bijeen te drijven, toen er plotseling een ritselend geluid was achter het raam. Er volgde een klap, alsof er geschoten werd. Geschrokken hief ze haar hoofd op. In een flits verscheen iemand bij het raam en verdween onmiddellijk weer uit het zicht.

DE FIRMA PULSING

＃

Anton begon 's ochtends steeds later met zijn werk in de stomerij. Hij voelde zich niet lekker, beweerde hij, het kwam allemaal door die chemische troep die hij moest inademen. Op aanraden van Anne was hij naar de dokter gegaan die zij zelf ook altijd bezocht. Na het beluisteren van zijn borst had die een vies drankje voorgeschreven en aangeraden een tijdje met werken te stoppen. Dat zou beter zijn voor zijn longen. 'Een stomerij is een gigantische kiembak voor kankercellen', had de dokter met een afkeurende blik in zijn ogen gezegd, alsof het om een verboden wietplantage ging.

'In plaats van te stoppen met je werk zou je beter die Ritmeesters van pa in de vuilnisbak kunnen gooien', opperde Anne. Ze pakte het groene sigarendoosje van de keukentafel en opende het met een vieze trek om haar mond. 'Ik hoop dat dit de laatste zijn.'

'Laat ik het niet merken, ik waarschuw je, dan zal je ervan lusten!' Met een rood hoofd van opwinding stormde Anton op Anne af en rukte het doosje uit haar handen. 'Dit is het enige, wat die vader van jou mij heeft nagelaten. Ja, en dat joch van je zus, die lummel, die nietsnut, die bastaard die denkt met aardrijkskunde en algebra de wereld te kunnen veroveren. Het enige, hoor je, het enige, wat die vader van jou aan mij heeft gegeven na zijn dood! Na al die jaren van zweten, strijken en stomen in die kankerlucht, machines schoonmaken, reparaties uitvoeren omdat ik daar zogenaamd zo goed in was en meneer geen geld wilde uitgeven aan een onderhoudsbedrijf, na alles wat ik voor hem heb gedaan, voor een habbekrats, een schijntje, omdat hij zuinig moest zijn en in de toekomst van zijn bedrijf wilde investeren... En wat krijg ik ervoor? Een partij aftandse meubels liet hij na, waar ik nog net het beste uit kon vissen, zijn stoel, die bol staat van de scheten die hij er jarenlang in heeft gelaten omdat hij er met zijn zatte kop plezier in had zijn darmgassen onder de neuzen van anderen te verspreiden. Maar wat waarde heeft, wat nog geld zou opleveren, de firma Pulsing, dat wordt zomaar weggegeven aan die stakker, die professor in de nikskunde die elke avond op zijn kamertje uit zijn neus zit te vreten.'

Kwijl stond om Antons mond. Anne draaide zich zonder iets te zeggen om en slofte met een nukkig gezicht naar de winkel. Ze controleerde het slot op de kassa, pakte van onder de toonbank een spray en een lap om de ruiten van de winkel te reinigen, en ging aan de slag.

Na elke veeg moest ze even stoppen om het bonzen in haar borstkas te laten bezinken. Ze rookte niet zoals Anton, had dat zelfs nooit gedaan, maar haar uithoudings-vermogen ging met de dag achteruit. Hoe minder klan-ten er in de winkel kwamen, hoe meer haar lichaam leek uit te dijen.

Volgens Anne was het allemaal Antons schuld. Hij vloekte en tierde erop los, waardoor de klanten de stome-rij meden. Zelfs de kerk, waar oma en opa Pulsing een ze-ker aanzien hadden genoten, had hem op de zwarte lijst gezet.

'Ik moet naar een klant.' Anton had een schoon shirt aangetrokken, zijn haren gekamd en zelfs zijn afgetrap-te sportschoenen verwisseld voor een paar leren schoe-nen die hij altijd op zondag droeg toen hij nog naar de kerk ging.

De laatste tijd maakten Anne en Leo de wekelijkse gang naar het godshuis op de Brink zonder Anton. Ze zaten nog altijd op dezelfde bank waar ook opa en oma hadden ge-zeten, maar nu slechts met zijn tweeën. Leo vond het een opluchting dat Anton niet meer meeging. Hij kon nu on-gehinderd naast tante zitten zonder te worden ingeklemd tussen het gespannen lijf van Anton aan de ene kant en de weeïge vetlagen van tante aan de andere. Anton werd ziek van de schijnheilige lucht die er hing, zei hij, en het zin-gen van al die hoogdravende liederen was niet goed voor zijn longen.

Anne stopte abrupt met ramenlappen. 'Je moet naar een klant?' Het krukje waar ze op stond wankelde enkele se-conden, de tijd die nodig was om haar hersenen op scherp te zetten. 'Wat zei je daar? Heb ik het goed gehoord?'

Er viel een stilte. 'Ja, je hebt het heel goed gehoord. Ik moet naar een klant.' Anton trok met een elegant gebaar een sigaar uit het borstzakje van zijn shirt en hield hem snuivend onder zijn neus.

'Smerige dandy dat je er bent.'

'Hoho, waar halen wij opeens dat dure taaltje vandaan?'

'Jij denkt toch niet dat ik achterlijk ben?'

Anton lachte en stak de sigaar weer terug in zijn shirt. Hij bolde zijn borstkas, trok zijn broekriem wat strakker aan, haalde de sleutelbos van het nieuwe bestelbusje uit zijn zak en begon er uitdagend mee te rammelen.

'Ik mag dan wel door jou zijn opgeborgen hier in die winkel, maar jij denkt toch niet dat ik blind ben?' Anne stond te wiebelen op het krukje, een oud, versleten ding dat Leo vroeger gebruikte om de gereinigde gordijnen op de planken achter de toonbank te leggen. Nu was hij groot genoeg om overal zonder hulpmiddelen bij te komen. Mits dat nodig was, want in zijn huiswerk had hij een waterdicht alibi gevonden om Anton en tante Anne en de klusjes in de stomerij zo veel mogelijk te mijden.

'Wij hebben niks te vreten en de heer Anton Vleeshouwer moet zo nodig met de bus op pad! Naar een klant. In zijn mooie pak. Met gel in het haar...' Anne smeet de doek en de spray op de grond, stapte sneller dan haar lichaam kon volgen van het krukje af, wankelde, en sloeg tegen het raamkozijn aan. Even leek het of ze door haar benen zou zakken, als een olifant die het gewicht van zijn eigen lichaam niet langer kan dragen, maar ze zuchtte een paar maal diep en richtte zich langzaam weer op.

'Hier zul je voor boeten', hijgde ze met betraande ogen. 'Dit zal ik je betaald zetten. Ik heb het nooit willen geloven, blind als ik was, maar pa had gelijk: Je bent een vieze vuile stiekemerd.'

Anton lachte minnetjes, alsof hij al die tijd naar een mislukte circusact had staan kijken, en liep naar de winkeldeur. 'Aju', riep hij op de drempel en hij stapte buiten fluitend in de bestelbus.

Leo nam na school niet direct de bus naar huis. Hij vertelde Allard een afspraak te hebben bij de tandarts. Zenuwachtig pakte hij na de geschiedenisles zijn spullen bijeen. Hij zou Ilse ontmoeten, de blonde, langharige dochter van de fietsenzaak in Esveld, die een klas hoger zat dan hij en voor wie hij alles, maar dan ook alles overhad.

Hij was nooit vergeten hoe Ilse hem in het spiegelpaleis bij de hand had genomen, voor hem het bewijs van de heimelijke liefde die ze voor hem koesterde.

Het was donderdag. Hij kende Ilses rooster uit zijn hoofd. Vandaag zou ze net als hij om kwart voor vier naar buiten komen. Hij zou haar volgen om erachter te komen waar ze woonde. Ze zat nooit meer in de bus van en naar Esveld, met de anderen. Was ze soms verhuisd? Misschien kon hij haar 'toevallig' tegenkomen, onderweg naar haar huis. Ilse liep druk pratend naar het hek van de school, omringd door een schare vriendinnen. Bij het voorbijgaan keek ze niet naar Leo. Dat verwachtte hij ook niet, want je kunt je liefde niet openbaren in de aanwezigheid van die giechelende tutjes die met spiegeltjes lopen en rare strepen en kleurtjes op hun gezicht doen. Ilse was anders, puur.

Langs de winkels liep ze de stad in. Met bonzend hart stak Leo de straat over om gelijke tred met haar te houden, verscholen achter de auto's die langs het trottoir stonden geparkeerd. Ilses benen waren een stuk langer dan de zijne, en hij had moeite haar bij te houden. Af en toe ging ze wat langzamer lopen, keek opzij, of legde haar hand op haar schooltas. Zou ze doorhebben dat hij haar volgde?

Ilse zou boos zijn als ze hem ontdekte, omdat hij niet geduldig afwachtte tot zij naar hem toe kwam. Maar ik heb al genoeg gewacht, dacht hij. Ik heb haar alle tijd gegeven. Ik moet met haar praten.

De vluchtige blikken die ze Leo toewierp in de gangen van de school, zodra haar vriendinnen niet in de buurt waren, wakkerden zijn verlangen aan en eenmaal thuis sloot hij zich op in zijn kamer om aan Ilse te kunnen denken zonder dat Anton of tante zijn gedachten bevuilden met opmerkingen of dreigende taal omdat hij niet voldoende werkte in de stomerij.

Zelfs tegen oma, als ze er nog was geweest, zou hij niet over Ilse hebben gesproken.

Ilse sloeg de hoek om en liep in de richting van de Grote Markt. Ze keek naar de overkant van de straat, waar een apotheek gevestigd was, alsof ze daar iemand verwachtte. Leo verdween in een portiek en wachtte even voordat hij zijn weg vervolgde.

Plotseling vertraagde haar pas, opende ze haar schooltas en graaide ze erin met haar hand. Leo stak de straat over en hield veilige afstand op dezelfde stoep.

Nu komt mijn kans, dacht hij, toen ze enkele tientallen meters verderop voor een vale, gele deur bleef staan en een sleutel in het slot stak. Ilse duwde tegen de deur, die langzaam openging en keek, voordat ze naar binnen stapte, even opzij. Ze ontdekte Leo, lachte naar hem, en maakte een beweging van herkenning met haar hand.

Eindelijk, dacht hij. Ze lacht naar me, ze is niet verbaasd me hier te zien. Ze wacht.

Een seconde later stapte Ilse het huis binnen en nog voordat Leo iets tegen haar kon roepen, sloeg de deur voor zijn neus dicht.

Beduusd bleef hij staan en keek naar het naamplaatje naast de deur. Vera en Ilse Rading stond erop. Ilse woonde hier dus met haar moeder.

Vera Rading. Hij kende die naam van de gevel van de fietsenzaak aan de Vlierweg in Esveld. Vera en Albert Rading, stond daar met grote letters geschreven boven de winkeldeur. Maar dat was blijkbaar verleden tijd.

Toen hij tegen zessen, ontgoocheld en verdrietig, eindelijk thuiskwam, zat tante in de woonkamer onderuitgezakt in een stoel zwijgend voor zich uit te staren. Naast haar, op een tafeltje, stond een fles jenever. Anton was nergens te bekennen.

Hooibed

16.42 UUR

In een ruk zat Julie overeind. Ze wilde haar handdoek over zich heen trekken, maar daar lag ze op en in plaats daarvan nam ze een grote hand hooi om haar lichaam zo goed mogelijk te bedekken. Toen bedacht ze zich dat ze in een sauna was waar iedereen naakt rondliep, dus waar was ze mee bezig?

Haar ogen waren nog steeds niet gewend aan het felle licht. Een ding was zeker. Er stond daarnet vanachter het raam iemand naar haar te gluren, die in een flits verdwenen was. Het venster klapperde alsof er een hevig onweer was losgebroken boven de alpenweide en een van de koeien had zo te zien een scheur in zijn oor opgelopen.

Een paar handen grepen zich vast aan de vensterbank en het verwarde hoofd van Anika stak door het raam. Tranen stonden in haar ogen van het lachen. 'Niet schrikken', proestte ze.

Julie verwijderde een paar slierten hooi uit haar gezicht en knipperde een paar keer met haar ogen.

'Niet schrikken. Dit is toch van jou?' Anika leunde met haar onderarmen in het raamkozijn en liet een notitieblok zien. 'Iemand bracht het daarnet bij de receptie en ik dacht meteen: dat moet van jou zijn en je zult het wel missen. Ik heb je toch niet wakker gemaakt, hoop ik? Ik struikelde daarnet over een van die lange latten die het decor omhoog moeten houden.'

Julie schudde beduusd haar hoofd. Was ze al zo ontspannen geraakt dat ze haar eigen notities argeloos liet rondslingeren? Ze stond op en schoot in de lach bij het zien van het bezorgde gezicht van Anika naast de grazende koe met het gerafelde oor.

'Ik was het nog niet kwijt. Je bent me voor.' Ze pakte het schrijfblok aan en controleerde of er geen beschreven velletjes misten. 'Bedankt. Ik moet er niet aan denken als alles voor niks is geweest en ik op mijn geheugen moet gaan vertrouwen.'

'Ga maar weer lekker liggen. Je hebt nog ongeveer zeven minuten. Daarna komt die koekoek uit zijn hokje, weet je nog? En dan moet je er weer uit voor de volgende gast.'

Nadat Anika als een sprinkhaan uit het beeld was verdwenen, ging Julie weer onder het hooi liggen voor een voortzetting van de hooibergillusie, maar van relaxen kwam niets meer nu ze wist dat iedereen zomaar als een figurant naar binnen kon stappen.

Stoomcabine

16.45 UUR

Een gigantisch rookgordijn trok onder de deur van een van de stoomcabines door en verspreidde zich door de gang. Leo hoorde het angstige geroezemoes van de gasten in de gang en de cabine aanzwellen, en toen hij aan kwam hollen hoorde hij een mannenstem vanachter de deur 'Help' roepen. Enkele seconden daarna pulpte de inhoud van de cabine, in totaal dertien hoestende en naar adem happende gasten, struikelend en duwend de gang in.

In de stoomruimte was een storing ontstaan. Binnen had het vol met gasten gezeten, die niet meteen in de gaten hadden dat er iets vreemds aan de hand was. De damp werd wel steeds heftiger en heter, maar niemand wilde zich kinderachtig gedragen en klagen. Bovendien kon je, als het om damp ging, moeilijk bepalen hoe het normaal hoorde te zijn.

Net als bij een koolmonoxidevergiftiging verloren de meesten langzaam de controle over hun geest en lichaam en werden ze overvallen door een gelukzalig gevoel van apathie. Pas toen een man riep: 'Oh my God, we will die in this inferno', begon men aan de deur te rukken, die echter niet naar binnen maar naar buiten openging.

De man, die als eerste weer bij zijn positieven was, rochelde met kokhalzende bewegingen de damp op. 'Waar is de baas van deze tent?' gilde een hysterische vrouwenstem boven de naakte kluwen uit. Uit de stoom kwam het reusachtige lichaam van de vrouw met de vlek op haar dijbeen aangestrompeld. Leo verstijfde toen hij haar zag, maar besloot onmiddellijk zich van zijn kordaatste kant te laten zien.

'Loopt u allemaal naar het restaurant alstublieft, u krijgt een verse jus d'orange van de zaak!' suste hij de boel. Anika nam het daar van hem over.

Leo probeerde eerst het defect zelf te repareren, waarbij hij zijn handen bijna brandde aan de stoomkachel. Verdomme, dacht hij, net nu alles zo goed loopt en iedereen tevreden lijkt, gebeurt dit.

'Je moet er de servicemonteur bijhalen', hijgde Berry. Hij was met zijn schort om achter Leo aangerend en rukte een brandblusapparaat van de muur. 'Straks komt er nog brand!'

Bij het woord 'brand' kreeg Leo een waas voor zijn ogen, waardoor hij nu helemaal niets meer zag. Hij duwde Berry ruw opzij, voelde in het wilde weg langs de wand van de cabine of er ergens een noodstop of een kabel was, en trapte met alle kracht die hij in zich had tegen het beschermende rooster van de kachelradiator, zodat in één klap alle vijftig minilampjes in het sterrenplafond doofden. De kachel siste en stopte kreunend met het spuwen van hete nevel.

'Kortsluiting', hoorde hij Berry roepen in de gang. 'Je kunt er toch beter een monteur bij halen, want er is hier nu geen licht meer.'

Leo kwam, als een astronaut na een mislukte ruimtemissie, met een geforceerde kalmte op zijn gezicht de cabine uit en vertelde dat alles onder controle was en dat dit soort dingen nu eenmaal konden gebeuren op plekken waar elektriciteit en vocht samenkwamen.

De gasten die zich niet naar het restaurant hadden laten sturen, verspreidden zich zuchtend en morrend naar de koude douches en het dompelbad.

'Ik zal die monteur wel even bellen.' Berry liep verder de gang in, bekommerde zich om een jong meisje dat stond te huilen van de schrik, en nam haar ook mee naar het restaurant.

Leo haalde een paar maal diep adem. Zijn kleding was doorweekt en zijn ogen prikten alsof iemand hem had aangevallen met pepperspray. Zijn hart bonkte als een gek achter het litteken bij zijn oor. In enkele seconden had hij de stomerij weer voor zich gezien en het moment herleefd, waarop hij dacht verloren te zijn en levend te zullen verbranden.

Gelukkig was die bijdehante Julie niet in de buurt geweest. Ze zou van het voorval een sensatieverhaal maken. Niemand zou na het lezen van haar artikel nog het risico willen nemen om bij Sedna in een op hol geslagen stoombad terecht te komen. Ook al was dit alles niet zijn schuld, de wereld was keihard en John zou het hem nooit vergeven als de goede naam van het bedrijf op het spel zou komen te staan.

Hij nam een douche, trok frisse kleding aan en liep naar het restaurant, waar Berry de gratis drankjes uitdeelde aan gedupeerde gasten. Terwijl hij langs het koffieapparaat liep, ontdekte hij in het glimmende staal dat de vlekken in zijn nek weer tevoorschijn kwamen, nu vuriger dan ooit.

'Neem dit maar gauw voor de schrik. Voorzichtig, er moet nog wat ijs bij.' Berry schoof hem een cocktailglas toe en gaf hem een broederlijk klopje op de schouder. 'Die monteur is er al. Het valt allemaal wel mee, schijnt het.'

Leo herkende meteen het luchtje van het magische drankje dat hij eerder die middag in het gesloten kastje had aangetroffen en toen Berry zich omdraaide om zich om een van de dames uit de stoomcabine te bekommeren, sloeg hij de inhoud van het glas in een keer achterover. Hij controleerde of alles naar wens was op het terras, waar iedereen hem ineens vrolijk leek toe te lachen, en liep daarna naar de cabine om er een bordje met 'Tijdelijk buiten werking' op te hangen. Hij had een binnenpretje om zijn eigen vergissing, toen hij in zijn enthousiasme 'Tijdig buiten werking' neerkalkte en corrigeerde dat snel.

De monteur – eerst dacht hij dat het er twee waren, maar dat kwam waarschijnlijk door het rare petje dat de man achterstevoren op zijn hoofd droeg, waardoor hij aan twee kanten aanspreekbaar leek – zou zijn best doen om de klus nog voor de avond te klaren. Hij wijdde het probleem aan slecht onderhoud door een concurrent, gaf Leo zijn visitekaartje en beloofde het kapotte kachelrooster – waar een of andere malloot blijkbaar tegenaan had getrapt – gratis te vervangen als hij in het vervolg de periodieke servicebeurten bij Sedna mocht uitvoeren.

Leo's hoofd werd steeds lichter. De hindernissen die hij normaliter moest nemen om met zijn omgeving te kunnen communiceren, waren opeens verdwenen. De mensen hadden respect voor hem en deden alles om hem tevreden te stellen. En nu hij bewezen had hoe kalm en doordacht hij in gevaarlijke situaties optrad, kon hij elk probleem, hoe vreemd en extreem ook, makkelijk aan.

G.B.

❉

'Je opa heeft het verdomme duizend keer uitgelegd en nu moet je het toch eindelijk onder de knie hebben!' Op zaterdagen liet Anton Leo met de stoompop werken en plooien persen in broeken, zonder hem daarbij te helpen. Steeds sneller was Anton klaar met zijn werk in de stomerij, waarna hij meestal met het bestelbusje naar een onbekende bestemming vertrok, om pas 's avonds terug te keren en zonder iets te zeggen naar zijn kamer te verdwijnen.

Het huis aan de Dorpsstraat had een ander aanzicht gekregen. Spinnen waren ongehinderd bezig met het creëren van hun webben in spleten en randen van plafonds en muren, deurposten plakten van zweterige vingers, lege flessen en vuile was lagen her en der over de vloer verspreid, en in de keuken vond een opmars plaats van kakkerlakken, op zoek naar etensresten die op het aanrecht lagen te stinken.

Anne sprak voornamelijk tegen zichzelf en leefde op zodra een klant een kledingstuk kwam brengen of halen en haar op de hoogte bracht van de nieuwtjes uit het dorp. In de buitenlucht kwam ze alleen voor een enkele boodschap en de gang naar de kerk, op zondag, samen met Leo. Het kostte haar steeds meer moeite de eerste verdieping van het huis te bereiken en ze eiste in bed zoveel ruimte op, dat Anton een ultimatum had gesteld: 'Of je ligt aan je eigen kant,' had hij gefoeterd, 'of ik kap ermee. Het lijkt wel of ik met een groot gezwel leef, een tumor die me uit mijn slaap houdt, een blok aan mijn been, te lamlendig om de was te doen, te strijken, te poetsen, zoals elke normale vrouw dat hoort te doen. En dan heb ik het nog niet over seks, want ik kan me de dag niet meer heugen dat we...'

Anne was rood aangelopen van woede, en had het eerste het beste voorwerp binnen haar handbereik gegrepen en naar Antons hoofd gesmeten. In een reflex had Anton zijn arm uitgeslagen, waardoor het voorwerp openklapte en drie sigaren met een mooi bandje erom op de grond vielen.

'O, o, wat zijn we zielig,' had ze hijgend uitgestoten, 'meneer Anton Vleeshouwer heeft het zo slecht getroffen... ga maar naar die slet... ' Ze had haar trouwring beetgepakt, en geprobeerd hem van haar vinger te rukken, maar het ding zat muurvast.

Anton had de sigaren die aan zijn voeten lagen opgeraapt en was met opgeheven arm op Anne afgelopen: 'Daar zul je spijt van krijgen... de hele tent zal naar de kloten gaan... de zaak gaat eraan zonder mij...'

'Heb het lef niet.' Anne was naar achteren gewankeld en met haar rug tegen de muur blijven staan. 'Als je me ook maar met één klefvinger durft aan te raken, Anton, dan...'

Toen had de bel van de winkeldeur gerinkeld. Er hadden voetstappen op de achtergrond geklonken, het kirren van een kind. Anne had puffend haar gezicht afgeveegd met een zakdoek, haar kleding en kapsel op orde gebracht, en Anton toegesist: '...dan, dan vermoord ik je!'

Na deze ruzie duurde het nog maar een paar weken voordat Anton zijn biezen pakte. Op een dinsdagmiddag schoot Leo achter een man met een teckeltje de winkel binnen en botste halverwege de stomerij bijna tegen tante Anne op die vanuit het achterhuis aan kwam lopen. Ze mompelde in zichzelf en haar gezicht stond strak en bol, alsof het elk moment kon exploderen. Voor Anton had hij een pompschroevendraaier bij de ijzerwinkel moeten halen, die hij op het kastje naast de reinigingsmachine neerlegde. Hij wilde net Duko's hok gaan schoonmaken, toen Anton met een rood en zweterig gezicht de stomerij binnen kwam stuiven. Hij droeg een stapeltje papieren in zijn hand dat hij met een plof op de sorteertafel liet vallen.

'Deze troep vond ik in het laatje van de keukentafel. Jouw rommel. Zul je nodig hebben voor als je later professor wordt. Nou, kijk maar niet zo raar, wees blij, ik had het bijna in de vuilnisbak gesmeten.'

Antons stem klonk hard en spottend. Leo herkende bovenop de wiskundebladen waar hij zo hard op had zitten studeren. Hij had een 8 voor zijn proefwerk gehaald!

Leo wist hoe zinloos Anton een schoolopleiding vond als je toekomst in het stomerijbedrijf lag. Voor een stomerij hoefde je geen studiehoofd te zijn en had je slechts twee ambities nodig: het vakkundig reinigen van andermans kleren en dan niet voor een mager hongerloontje, maar tegen een redelijk, normaal salaris. Voor het eerste onderdeel was Anton, naar zijn zeggen, met vlag en wimpel geslaagd, het tweede had hij echter nooit ontvangen, stom als hij geweest was om met de dochter van de baas te trouwen.

Hij had beter bij een andere stomerij aan de slag kunnen gaan, een waar ze respect hadden getoond voor zijn vakmanschap en onuitputtelijke werklust. Maar nu was het te laat. Zijn longen waren verpest, zijn huwelijk was kapot, en de klanten hielden hun centen in hun zak of liepen langer in hun vuile kloffies rond of wat het ook mocht zijn, want er kwamen er steeds minder en dat nota bene in een dorp waar slechts één stomerij gevestigd was.

Leo zag de blik in Antons ogen toen hij de pompschroevendraaier op het kastje naast de reinigingsmachine ontdekte. Hij staarde er een tijdje naar, nam het gereedschap in zijn hand, en gaf het weer aan Leo. Leo zag zijn gezicht plotseling veranderen. 'Breng deze maar terug naar de winkel,' mopperde hij, 'ik heb hem niet meer nodig.'

'Maar je wilde...?'

'Ik heb hem niet meer nodig zeg ik je toch?' Met zijn vlakke hand gaf hij een klap tegen het colbertje dat Leo op de stoompop had gezet, waardoor die hevig begon te schommelen. 'Het is over en sluiten. Jullie zoeken het maar zelf uit.'

Er trok een siddering van vreugde en angst door Leo's lichaam. Zou het nu afgelopen zijn met die vreselijke ruzies in huis? Met Antons vertrek zou de rust in huis weerkeren, maar hij was wel de enige die de apparatuur in de stomerij wist te bedienen.

'Nou, sta daar niet zo te lummelen. Breng die schroevendraaier maar terug en kom me daarna helpen met het verzamelen van mijn spullen.'

Leo hielp Anton dit keer graag. Hij durfde niet te vragen waar Anton zijn spullen naartoe wilde brengen. Het was beter als Anton in één keer alles meenam. Hij mocht zich eens bedenken.

Anne keek wezenloos toe hoe Leo en Anton de bestelbus inlaadden, alsof het vanzelfsprekend was dat haar huwelijk op deze manier werd beëindigd.

'De schoft', was het enige wat ze uit kon brengen toen ze de kassa controleerde.

Leo nam de papieren die Anton hem toegesmeten had mee naar zijn kamer en ging een tijdje bij het raam staan kijken om er zeker van te zijn dat de bus nu definitief was verdwenen en niet meer terug zou keren. Het was een vreemde gewaarwording de machines in de stomerij nooit meer te zullen horen trillen en trommelen. Want wie anders dan Anton kon leidinggeven aan het bedrijf?

De papieren roken naar de sigarendozen die opa Bart, en later Anton, in de lade van de keukentafel had bewaard. Onder de wiskundevellen zaten de rapporten van de lagere school, die oma er in de loop der jaren moest hebben opgeborgen. Onder elk rapport stond een handtekening

van een juf of een meester, een slordige krabbel als bewijs
dat hij, Leo Pulsing, – ondanks de soms matige resultaten
– naar de volgende klas was bevorderd. Een tweede handtekening was van de hoofdmeester, een verbleekte stempel waaruit hij diens naam, Fred Bosman, nauwelijks kon
opmaken.

Hoofdmeesters moeten natuurlijk zo vaak hun handtekening onder iets zetten, dacht hij, dat ze er maar een
stempel van maken. Op een dag zou hij zelf ook een stempel hebben met zijn naam en zou de deprimerende lucht
van de chemische reinigingsmiddelen voorgoed uit zijn
haren en huid zijn verdwenen.

Hij viste een grote bruine envelop uit de stapel papieren. De heer en mevrouw Pulsing stond erop. Hij kon zich
herinneren hoe plechtig oma de envelop had geopend en
daaruit zijn einddiploma van de lagere school had getrokken. Het was het officiële bewijs dat hij niet zo dom was
als opa Bart altijd beweerde en dat hij naar de middelbare
school kon in de stad om daar verder te leren.

Leo haalde het document uit de envelop en keek naar
de tekst en de handtekeningen van twee mensen van het
schoolbestuur, die hij niet kende, en die van de hoofdmeester, dit keer niet in de vorm van een stempel maar
met de hand geschreven in mooie krulletters. Godefrides
Bosman, stond er, met daaronder in drukletters Hoofd
Christelijke Lagere School Esveld. Dus eigenlijk heette
de meester geen Fred, zoals hij op school werd genoemd,
maar Godefridus. Godefridus Bosman. Langzaam sprak
hij de naam een paar keer uit. De letters begonnen door
zijn hoofd te dartelen. Een G en een B. De initialen waar

hij al die tijd naar gezocht had, stonden opeens voor hem op papier. Hij pakte de zilveren pen uit zijn lade en keek ernaar, alsof er nog een laatste moment van twijfel mogelijk was.

Van alle mensen uit zijn omgeving had niemand een voor- en achternaam die begonnen met een G en een B. Alleen de hoofdmeester van zijn vroegere lagere school. Hij omklemde de pen met zijn hand en voelde zijn hart kloppen in zijn vingers. Hoe komt een pen van de hoofdmeester in de kelder van dit huis terecht, dacht hij, en dan nog wel tussen de tekeningen van mijn moeder?

Hij keek naar zijn linkerarm. Het litteken van de potloodpunt die hij op de avond van oma's dood in zijn hand had gestoten, was nooit meer weggegaan. Wat was er die avond gebeurd? Waarom was opa Bart woedend in zijn bus gesprongen? Terwijl tranen over Leo's wangen liepen, liet hij de pen machteloos uit zijn hand glippen en op tafel vallen. Waarvoor was oma gestorven?

Beauty Centrum

17.00 UUR

De schoonheidsspecialiste heette Cherie en zag er bazig uit. Na een huidanalyse, waar Julie onder normale omstandigheden depressief van zou zijn geworden, – maar normaal was haar aanwezigheid vandaag in deze sauna allang niet meer – kreeg ze een luxe gezichtsbehandeling aangeboden die begon met een intensieve reiniging van de huid, gevolgd door een peeling van algen en plantenextracten.

Julie hoorde Cherie een verhaal afdraaien over het stimuleren van de celdeling, talg, zweet en de uitscheiding van afvalstoffen. Ze vroeg zich af waar de vrouw met de roze zonnebril op dit moment was. Ze maakte een eenzame indruk, zoals je dat vaker zag met mensen voor wie de huid als een pantser was gaan dienen. Een waterdichte bescherming tegen de buitenwereld die op een vreemde manier tegen hen aankeek.

'Zo, nu nog even wat heerlijk warme kompressen op je gezicht om de peeling te verwijderen,' zei Cherie, 'en je dode huidcellen vliegen eraf. Heb je trouwens zin in een tropische shake?'

Er werd een pauze ingelast en zodra Julie het drankje op had, ging Cherie over op het volgende onderdeel van de behandeling: de gezichtsmassage. Haar handen waren ingesmeerd met warme olie en kneedden Julies wangen, gleden af naar haar voorhoofd en drukten tegen haar slapen. Het volgende moment greep ze Julies oorlel beet en begon eraan te trekken. Daarna pakte ze de hele oorschelp en boetseerde hem als een kind dat zandkoekjes maakt op het strand.

Achter Julies oogleden verschenen de vage contouren van Leo. Ze had naast hem in het maanlicht over de camping gelopen. Bij het sanitairgebouw gekomen, had hij haar op een houten kist getrokken die tegen de buitenmuur aanstond.

Met het einde van de zomer in zicht was het 's avonds een stuk frisser geworden en Julies ouders hadden in de luwte van hun tentluifel nog iets zitten drinken met vrienden die ze hadden leren kennen tijdens de vakantie.

'Ik kom zo terug.' Julie opende haar ogen en knikte dromerig naar Cherie. 'Ik moet even naar mijn collegaatje.'

Julie sloot haar ogen weer en probeerde zich te herinneren wat er verder voorgevallen was op de camping. Leo had daar geen vakantiebaantje, schoot haar nu te binnen. Hij deed vrijwillig allemaal klusjes. De eigenaren van Het Duinviooltje hadden hem kort na de brand in de stomerij als een soort adoptieouders opgevangen. Het waren verre familieleden van hem.

'Morgen is de vakantie voorbij', had Julie verzucht terwijl er een rilling door haar schouders trok. Ze had haar blonde haren naar achter geschud en keek naar het vlammetje waarmee Leo zijn sigaret probeerde aan te steken. Het wapperde als een vlaggetje van links naar rechts en pas na meerdere pogingen kreeg hij het onder controle.

'Je komt toch volgend jaar weer?' Hij gaf haar een trekje van de sigaret en krabde nerveus aan het litteken bij zijn slaap.

'Doet het pijn?' In de drie weken dat ze met elkaar waren opgetrokken, had Leo geen enkele keer iets losgelaten over zijn verminkte oor. Het enige wat ze kende was het verhaal over een brand in de stomerij van zijn opa en oma. 'Het jeukt af en toe. Maar de dokter zegt dat ik van geluk mag spreken. Ik hoor goed. En niet iedereen heeft zo'n mooi stompje als ik!' Hij begon te lachen, nam een paar gretige trekjes van zijn sigaret en schoot hem weg naar de grond.

Julie schrok op van Cheries voetstappen naast zich. Ze had een bakje met smurrie in haar handen en zette dat neer op een tafeltje naast de luxe behandelstoel, waarin ze het liefst de rest van de dag had doorgebracht, maar dan zonder Cherie.

'Ik ga je nu een Masque Modellant geven,' zei Cherie met een overdreven Frans accent, 'een verwarmend mineralenmasker met dieptewerking. Je zult eens zien hoe je daarvan opknapt. Je bent meteen tien jaar jonger.' Ze deed een band om Julies haren zodat deze uit haar gezicht getrokken werden, en begon het masker aan te brengen. Zodra ze daarmee klaar was, startte ze een cd met het geluid van een kletterende waterval, en zei: 'Ik ben over een klein kwartiertje weer bij je terug. Droom maar heerlijk weg.'

Vanuit het sanitairgebouw hadden ze het gespetter van een douche gehoord.

'Ik heb nog nooit aan iemand alles verteld', fluisterde Leo.

'Vertrouw je me dan niet?' Ze had met hem zitten roken achter de badhokjes op het strand, schelpen verzameld en lachend en dollend door de uitrollende golven gerend. Ze had voor het eerst met hem bier gedronken en het weer uitgespuugd. Ze had zijn hand om haar schouders en zijn lippen in haar nek toegelaten. Dan kon hij haar toch ook wel vertellen waardoor hij dat oor had gekregen? Leo drukte zijn gezicht in Julies krullen, haalde diep adem, en richtte zich met een zucht weer op. In gedachten staarde hij naar de heldere sterrenhemel. 'Kijk daar, Juul, daar', zei hij na een tijdje. 'Een vallende ster.' Hij maakte een gebaar naar de lucht, maar Julie zag niets anders dan honderden sterren die op hun plek bleven.

'Als je echt mijn vriend bent,' zei ze, 'dan heb je geen geheimen voor me.'

Achter hun rug viel een deur dicht in het toiletgebouw-tje. Leo pakte Julie bij de hand en nam haar mee over het pad dat naar de uiterste grens van de camping leidde, daar waar geen tenten of caravans meer stonden en het terrein overging in zanderige heuvels met hier en daar een pluk-je heide. Ze lieten zich zakken in het zand en bleven een poosje zwijgend voor zich uit staren.

'Zul je het nooit, maar dan ook nooit aan iemand vertellen?' verbrak Leo de stilte. Hij stak zijn hand diep in zijn broekzak en haalde een zakmes tevoorschijn. 'Zul je dat beloven?' Met een vreemde blik in de ogen klikte hij het mes open. 'Zweer je het?'

Restaurant

19.35 UUR

Het avondeten was goed verlopen. Er waren wat klachten geweest over het pittige sausje bij de spareribs, een vrouw met een zuinig mondje had stampij gemaakt en gevraagd of de chardonnay in haar glas soms was aangelengd met water uit een Franse kraan, maar verder was er niet veel noemenswaardigs gebeurd.

Om acht uur zou hij de opgieting gaan houden in de Finse sauna, achter op het terrein. Berry had keurig drie serveerschalen klaargezet met sinaasappelpartjes en schijfjes meloen en zou voor een emmer vol ijsblokjes zorgen.

Leo stond op zijn plek achter de bar en tuurde langs een glazen bokaal met bananen en mango's naar buiten. De journaliste van de *Heuvelland Post* lag op een stretcher een sigaret te roken. Wie had gedacht dat hij haar ooit nog terug zou zien: Julie. Ze had een handdoek om haar rode haren geslagen waardoor ze hem deed denken aan een of andere actrice uit een oude Bond-film, van wie de naam hem niet een-twee-drie te binnen schoot. Zij had hém in ieder geval niet herkend, bedacht hij tevreden.

Leo wierp een blik op de bolle kant van een soeplepel die op de bar slingerde en zag dat de vlekken in zijn nek bijna waren verdwenen. Wat zou John trots op hem zijn, als hij hem hier nu zag staan. De zaak was onder controle en er moest heel wat gebeuren voordat hij zich liet meeslepen in een neerwaartse spiraal. Met Johns vrienden had hij nog een praatje gemaakt en hij had ze korting gegeven op de toegangsprijs. Ze waren meer dan content over de faciliteiten en zouden beslist op korte termijn terugkeren, al was het alleen al om van het hooibed te profiteren, waarvoor de wachtlijst zo lang was geweest dat ze er niet eens aan toe waren gekomen. Aan John moest Leo de hartelijke groeten overbrengen, riepen ze toen ze voldaan en verkwikt – zoals ze het zelf noemden – weer huiswaarts keerden.

'Nog iets van de baas gehoord?' Berry verscheen in de deuropening van de keuken en schonk zichzelf bij de tap een glas water in.

'Te druk met zijn moeder, denk ik.'

'Arme mens.'

'Heb je haar weleens ontmoet dan? Ze komt hier toch nooit?' Vreemd, hij kon zich niet herinneren dat Berry ooit iets dergelijks over Johns moeder had gezegd. Berry was meer begaan met het wel en wee van de serveerstertjes.

'Bij de begrafenis van Johns vader, zo'n eh... twee jaar geleden. Ontroostbaar, dat wijfie. Ze heeft heel wat voor haar kiezen gekregen in haar leven, heb ik weleens zo zijdelings gehoord.'

Berry dronk zijn glas leeg en liep weer terug naar de keuken. Op de drempel draaide hij zich nog even om naar Leo en gniffelde: 'Pas je een beetje op met dat toverdrankje. Ik keek daarstraks even in dat kastje en zag dat je er flink mee aan de slag bent geweest. Het is geen onschuldig hoestdrankje, hoor!'

VLINDERS

✤

In de nacht na Antons vertrek haalde Leo alle schetsen van zijn moeder uit de lade van zijn tafeltje en spreidde ze uit over het zeil van zijn kamer. Hij keek naar de naam en de datum die zijn moeder netjes onder aan elk tekenvel had genoteerd en vergeleek in het felle licht van een zaklantaarn de kleur van de inkt met die van de zilveren pen, die paste bij mensen van aanzien, zoals notarissen, artsen, of hoofdmeesters van een lagere school.

Na een minuut of tien had hij alles op chronologische volgorde gelegd en lag er op de vloer van zijn kamer een impressie van de jeugdjaren zoals zijn moeder die had beleefd. Blije zonnen en droevige manen, boerderijen met veel gras eromheen en kerken met hoge torens, schoenen met gespjes en kleine hakjes, een koe met tepels die het gras van de wei raakten, paarden, pony's, schapen, een paspop met een hoofd dat om hulp riep, en vooral veel vlinders. De vlinders liepen als een rode draad door de werkjes heen, alsof zijn moeder het liefst was weggefladderd uit het leven dat ze leidde.

Twee jaar voor zijn geboorte, toen zijn moeder vijftien was, begon ze haar tekeningen te signeren en te dateren met de kobaltblauwe inkt uit de pen met G.B. erop, en veranderden de vlinders geleidelijk aan. De felle kleuren werden matter en de vleugeltjes zagen er breekbaar en broos uit. Onder een van de vlinders stond 'eendagsvlinder' geschreven, netjes als altijd, met kalligrafische letters. Later verdween het blauw en werd het vervangen door vurig rood.

Anne liet de volgende ochtend weinig los over wat ze de tekentik van haar zusje noemde. Iris was volgens haar altijd al bezig geweest met potloden en penselen en wilde dat alles, hoe mislukt ook, bewaard zou blijven voor later.

Toen Leo haar in de winkel confronteerde met de pen waarop de initialen G.B. stonden en de met rode vlekken beklädde tekening liet zien van de man met de half afgezakte broek, viel er een schaduw over haar gezicht en welden er tranen op in haar ogen.

'Waar heb je dat vandaan? Had mijn moeder niet alles weggegooid? Heb je in de kelder zitten rommelen?'

'Dus het is waar!'

'Hoe kom je daaraan?'

'Die pen was zeker een cadeau voor alles wat ze voor hem deed ... hij heeft zijn broek voor haar laten zakken ... haar betast ... verkracht...' stamelde Leo.

Hij had het liefst zijn tante beetgegrepen, maar de kwallerige vleesmassa die bij haar schouders in schubben afdaalde naar haar voeten zou hem inkapselen, net zolang tot hij geen adem meer kon halen en zijn botten zouden worden vergruizeld onder haar gewicht. Wat wist zij over zijn vader?

Er viel een lange stilte waarin Anne haar hoofd afdraaide en aan de knopen op haar blouse begon te frunniken. 'Alleen je oma en ik wisten ervan...,' fluisterde ze, 'hadden een vermoeden.'

Oma, hoe had oma hem zo in onzekerheid kunnen laten al die jaren. Hoe vaak had hij haar niet gevraagd wie zijn vader was, of hij misschien een wees was. Al die tijd had ze het voor hem verborgen gehouden.

'In een dorp als het onze moet je voorzichtig zijn, kun je niet alles zeggen.' Anne haalde machteloos haar schouders op. 'Ik weet het niet meer zo goed, het is allemaal zo lang geleden. Een bewijs was er niet.'

'Een bewijs, een bewijs? Nou dat bewijs staat hier', schimpte Leo en hij drukte met zijn vinger op zijn borst. 'En hij heeft mijn moeder weggejaagd uit haar eigen dorp en loopt zelf vrij rond.'

'Liep vrij rond.'

'Is er dan niemand die hem alsnog kan laten boeten voor wat hij gedaan heeft?'

'Dat hoeft niet meer.' Annes stem klonk mat. De tranen die even tevoren in haar ogen opwelden bij de herinnering aan het verleden, hadden niet doorgezet en leken vanzelf te zijn opgedroogd boven de bolling van haar wangen. 'Hij is dood. Hij was ziek.'

De hoofdmeester was dood... Niemand had dat aan Leo verteld. Terwijl ze dat heus wel geweten hebben, in het dorp. Leo beet zijn lippen kapot en schudde zijn hoofd. 'En er is nooit iemand naar de politie gestapt. Hoeveel meisjes heeft hij niet lastiggevallen, die fijne meester die zo lekker over je hoofd kon aaien...'

'Ik weet het niet.' Anne wilde zich losmaken uit het gesprek en weglopen, maar Leo ging pal voor haar staan.

'En die middag dat opa Bart zo verschrikkelijk kwaad werd,' vervolgde hij, 'heeft dat er soms ook mee te maken?'

Annes gezicht verschoot van kleur. 'Wie zegt dat?'

'Had dat er ook mee te maken?'

'Je oom Anton was die dag niet lekker.' Ze aarzelde even en veegde met een vuist in beide ogen. 'Ik had geen vervoer naar de stomerij en het sneeuwde ontzettend. Bij de bushalte vlak bij mijn huis stopte een auto en een mannenstem vroeg me of ik naar Esveld moest.'

'En dat was...'

'Hij droeg een dikke wintermantel, ik herkende hem pas toen ik in de auto naast hem zat. Hij woonde een paar straten van Anton en mij vandaan, vertelde hij. Ik heb hem gevraagd me niet voor de stomerij af te zetten, maar aan het begin van de Dorpsstraat.'

'En de ruzie tussen opa Bart en oma?'

'Ik heb je oma verteld dat ik met een kennis was meegereden omdat Anton ziek was. 's Middags zei ze plotseling dat ik gelogen had, dat een klant van de stomerij me uit de auto van de hoofdmeester had zien stappen.'

'Stom.'

'Ze werd erg boos en ik begreep niet waarom, want ze had in het dorp altijd net gedaan of hij de hoofdmeester was en niet jouw vader. Alsof het allemaal niet echt waar was.'

'En?'

'...en toen riep ik: maar ik kon in die sneeuwstorm toch niet zien dat het Leo's vader was?'

'En dat heeft opa Bart gehoord.'

Anne sloeg haar handen voor haar gezicht en begon schokkend adem te halen. 'Het is allemaal mijn schuld', hakkelde ze.

'Dus als opa Bart niets gehoord had, dan...' Leo zag hoe zijn tante met haar ogen begon te draaien. Ze greep zich vast aan de toonbank, schokte een paar keer, en gleed langzaam op de grond.

Finse sauna

20.00 UUR

Op weg naar de opgieting stuitte Julie in een van de gangen op de vrouw met de roze zonnebril. Het leek of ze stond uit te blazen. De ceintuur van haar badjas bungelde losjes rond haar gigantische heupen, terwijl ze zich met één hand vasthield aan de rand van een bak met scrubzout. Op de vloer, bij haar slippers, lag haar bril. Julie bukte zich en raapte hem op.

'Dank je. Ik wist niet dat dat ding nog altijd in mijn haar hing. Totdat hij viel.'

'We moeten ook zoveel meesjouwen. Handdoek, badjas, boek, kam, zonnecrème...Komt u hier wel vaker, in deze sauna?'

De vrouw schudde het hoofd. 'Dit is de eerste keer.'

'Om het hooibed?'

'Onder andere.'

Ze duwde de bril terug in haar vochtige haren en maakte aanstalten om verder te lopen.

Zo gemakkelijk kom je niet van me af, dacht Julie. Ze had een hele rits vragen in haar hoofd die al uren op een antwoord wachtten. Misschien konden ze elkaar nog even treffen na de opgieting.

Kon dit Leo's moeder zijn? Het noordelijk accent klopte.

'Ik ben journaliste en zou u graag willen interviewen voor een artikel in de *Heuvelland Post*', zei ze snel, in de hoop dat de vrouw zich gevleid zou voelen door haar voorstel.

Er viel een stilte. 'Dat interview gaat zeker over obesitas.' De vrouw trok een gezicht alsof ze iets vies in haar mond proefde.

'Over uw motivatie om naar de sauna te gaan. Lezers stellen mij vaak vragen over de plus- en minpunten', loog ze. 'Heeft u er bijvoorbeeld veel baat bij?'

De vrouw aarzelde. 'Ik denk niet dat ik de juiste persoon ben voor uw lezers. Met mijn gezondheid ben ik allang niet meer bezig. Dát gevecht heb ik opgegeven.'

Nog voordat Julie kon reageren, trok de vrouw gedecideerd de ceintuur van haar badjas strakker aan, keerde Julie de rug toe en schuifelde door de klapdeuren naar buiten.

❋

Ik ben Tarzan. Tarzan in Löyly-land, omringd door hijgende vrouwen op houten banken die het liefst mijn enige kledingstuk, de felrode handdoek die rond mijn heupen zweeft, zouden afrukken om met hun tong het seksbeest in mij naar buiten te likken.

Leo tilde de emmer op, waarin een mengsel zat van water en etherische olie, en goot een deel van de inhoud over de saunakachel, die hevig begon te sissen.

'Weet iemand wat voor geur ik heb gebruikt?' vroeg hij op een onderwijzerstoontje. De mensen hielden van spelletjes en gissen en voelden zich persoonlijk aangesproken zodra je een vraag stelde die hen aan het denken zette. Lelietjes-van-dalen, riep er een, een ander dacht een veldboeket, weer een ander kwam met een bos madeliefjes.

'Bijna raak', reageerde hij, nadat hij een tijdje de spanning had weten op te voeren door zijn wenkbrauwen hoog op te trekken, hetgeen een vreemd gevoel teweegbracht bij zijn verkeerde oor. 'Hooibloemen zijn het. Goed voor de spieren en het stimuleren van de weefselstofwisseling.' Dat laatste had hij ergens in een brochure gelezen en hij wist niet wat hij zich daarbij moest voorstellen, maar er werd geknikt en niemand stelde een vraag.

Als een schipbreukeling die op een dobberend vlot de aandacht van een oceaanstomer probeert te trekken, begon hij met een handdoek boven zijn hoofd te zwaaien, zodat het vocht zich vanaf de kachel over de aanwezigen kon verspreiden. Vanuit zijn ooghoeken ontdekte hij Julie. Was ze nou nog niet weg! Ze was een van de slanksten met haar kleine borsten. Hij schatte dat er rond de veertig gasten voor de opgieting waren gekomen, waarvan er minstens dertig hun grote roze lebbertepels op hem gericht hielden.

'Nu krijgt u allemaal een wapper van me.' Hij ging de hele rij naaktzitters af en sloeg voor elke gast het vocht uit de handdoek, een techniek die hij meerdere malen thuis in de badkamer had geoefend, want hij was altijd bang iemand in zijn gezicht te zullen raken. Een paar gasten staken bij het wapperen de armen omhoog en lieten een partij plakkerige okselharen zien. De handdoek klakte als een zweep. De luchtvochtigheid voerde de gevoelstemperatuur op.

Halverwege stopte Leo even en haalde diep adem. Kwam het door het drankje van Berry, waar hij op het laatste moment nog een flinke slok van had genomen, of ging zijn conditie werkelijk achteruit? Bij vorige opgietingen was hij veel minder kortademig geweest dan nu en al helemaal op een moment waarop hij nog minstens twintig minuten voor de boeg had. Het moest toch de spanning zijn van de dag die achter hem lag. Hij had zich flink gehouden, links en rechts de gemoederen gesust, een mankement aan een stoomkachel buiten het zicht van de menigte verholpen, en in het bijzijn van Berry een black-out gekregen. En dan was ook Julie nog opgedoken. Hij probeerde alles maar zo snel mogelijk te vergeten.

Verdomme. Toen hij de halve cirkel bijna had afgewerkt en het zweet uit al zijn poriën gutste, verscheen er een vlek voor zijn ogen, een fladderende vleermuis tegen een achtergrond van cellulitisputjes. Zweet vulde zijn ogen. Hij had niet meer op haar gerekend. Waar kwam ze zo plotseling vandaan? Hij was zo druk geweest met de voorbereidingen dat hij haar niet had zien binnenkomen. Ze had haar roze zonnebril nog in het haar hangen en keek hem aan met een nietszeggende blik, waaruit je zowel kwaad als goed kon opmaken. Langzaam trok ze haar benen verder uiteen. Hij mocht alles zien. Zijn hoofd tolde. Zijn tong zwol op tot een vette lap, te groot om in zijn mond te passen. Nog even en hij zou stikken. Hij draaide zich om, wankelde terug naar de saunakachel en gooide in een keer de rest van de emmerinhoud over de kolen. De kachel stootte en kreunde.

'Ik moet u even alleen laten. Ik heb een technisch probleem', stamelde hij. Hij opende de deur naar buiten en zoog zijn trillende longen vol met frisse lucht. Achter hem klonk geroezemoes. Hij wreef het zweet van zijn voorhoofd.

Hij moest terug. Hij mocht zich niet laten kennen.

Duko

De huisarts was er samen met een assistent in geslaagd Anne op te tillen en op een stoel te hijsen. Ze had volgens hem een ontlading gehad van emotioneel opgebouwde spanning. Hij zei iets over hypertensie en bètablokkers en schreef een recept uit, waarmee hij Leo naar de apotheek stuurde. Het zou allemaal wel goedkomen, sprak hij. Als ze maar rust hield en af en toe een wandelingetje maakte door het dorp.

Anne slikte alleen de eerste dag de pillen en ging zich steeds grilliger gedragen. Ze opende op de meest onverwachte momenten de kassa van de winkel en telde dan voor de zoveelste keer het geld dat nog resteerde. Ze stuurde Leo naar de ijzerwinkel en liet het slot van de winkel vervangen, zodat 'Anton niet plotseling voor hun neus zou staan'. Leo hield achter dat het bestelbusje een paar avonden langs de stomerij was komen rijden, terwijl hij al in bed lag, en dat hij gehoord had hoe het stopte, om daarna als een raket weer uit de Dorpsstraat weg te schieten. Met moeite had hij daarna de slaap kunnen vatten. Het geluid van het busje op de keien in de straat had dreigend geklonken.

Op een dag kwam er een brief van Anton. Hij maakte aanspraak op een deel van de opbrengst van de stomerij, zodra die verkocht was. Volgens Anton was de zaak ten dode opgeschreven, nu er helemaal niemand meer over was met hart voor de zaak. De stomerij mocht dan wel aan Leo zijn nagelaten, het kindsdeel dat Anne bij verkoop zou krijgen als erfenis van haar overleden ouders, eiste Anton voor driekwart op vanwege het jarenlange zwoegen en verpesten van zijn gezondheid. Hij eindigde zijn brief met: 'Ik waarschuw je! Als je binnen een week niks van je laat horen op mijn postadres, dan zal je ervan lusten!'

Leo kwam die middag net van school toen tante Anne de brief snel wegmoffelde onder de kassa. Ze droeg nog steeds haar ochtendjas met daaronder een slappe flanellen broek en ze zag er ongewassen en onverzorgd uit. De pupillen in haar ogen waren groter dan normaal en ze verdween al mompelend naar de keuken, waar ze de koelkast opende en in twee woorden opsomde wat daar in lag. Ze gaf Leo de opdracht het hok van Duko schoon te maken en toen hij daarmee bezig was, pakte ze de telefoon en draaide het nummer van de poelier in het dorp.

Op zaterdag ging Leo met Allard en zijn familie naar een circusvoorstelling aan de rand van de stad. Tante zwaaide hem met een vreemde blik in haar ogen op de drempel van de winkeldeur uit, totdat hij uit het zicht was verdwenen. Toen Leo aan het eind van de middag terugkeerde, lag ze boven op bed. Ze maakte een verwarde indruk en klaagde over pijn in haar onderbuik.

'Een glas water', fluisterde ze op Leo's vraag of ze iets nodig had.

Hij liep naar de badkamer en keek door het raam naar de binnenplaats waar het hok van Duko stond, het enige vertrouwde beeld dat over was uit de tijd dat oma nog leefde.

'Kom je even bij me zitten?' vroeg tante met een kweelstem, nadat ze een paar slokjes had genomen. Voordat Leo het wist, omklemde ze zijn pols met haar vette hand en trok hem op bed. 'Ik heb pijn.' Met een zwaai gooide ze de deken van zich af. 'Hier.' Ze wees naar de zwarte krulharen tussen haar benen. Leo rilde bij het zien van haar naakte lichaam. Zijn pols klopte als een bezetene.

'Voel dan.' Tante opende haar drillerige benen en leidde Leo's hand naar een plek boven aan haar dijbeen, vlak bij haar schaamlippen. Er zat een grote moedervlek die hem deed denken aan een fladderende vleermuis.

Hij zag Ilse, haar strakke benen, haar huppelende manier van lopen, haar lach, haar stem die alles tegen iedereen durfde te zeggen.

'Nee, nee...' stotterde hij, maar tante trok zijn hand naar de plek waar het vochtig was en warm.

Hij hoorde zijn moeder tevergeefs om hulp schreeuwen, terwijl de hoofdmeester haar onderbroek naar beneden rukte en hijgend bij haar naar binnen drong, hij zag oma in de sneeuw met rode bloedvlekken in haar haren. Hij rukte zich los en rende huilend de trap af, naar de binnenplaats, waar Duko op hem wachtte voor zijn voer.

Met ontsteltenis ontdekte hij dat het hok gesloten was, maar dat Duko was verdwenen. Hij slikte zijn tranen weg, opende zijn mond, en slaakte een kreet die over de daken van de huizen aan de Dorpsstraat weg golfde en tot aan de Brink hoorbaar was.

Op dat moment verscheen tante naakt voor het raam van de slaapkamer. Ze schudde haar hoofd en wees met een vinger naar haar mond. Overstuur rende Leo naar de keuken, rukte de koelkast open en zag een in vacuüm verpakt konijn liggen, klaar voor consumptie. Hij aarzelde, pakte het vast en hield het koude, gevilde en in stukken gesneden dier huilend tegen zich aan.

'Duko, mijn Duko!' gilde hij. Naar adem happend liet hij zich op een keukenstoel zakken en legde het konijn op tafel. Nu was er helemaal niets meer om van te houden. Nu was alles kapot.

WHITE SPIRIT

✤

De bestelbus reed die avond opnieuw langs de stomerij. Leo herkende het kloppende geluid van de dieselmotor al van verre en gluurde voorzichtig door een spleet van zijn slaapkamergordijnen naar de grimmige blik van Anton, die in het licht van de lantaarnpalen iets moorddadigs kreeg. Er hing een brandende sigaret tussen zijn lippen en het leek of hij wilde gaan stoppen, maar direct daarop stoof de bus weer weg.

Leo had tante niet meer gezien en wilde haar ook nooit meer zien. Ze was boven op bed gebleven, had een paar keer met een klaagstem naar hem geroepen, maar hij had net gedaan of hij niks hoorde. Na een tijdje was het vanzelf rustig geworden en was zijn kloppende hoofd begonnen met de uitwerking van een plan.

In een roes nam hij het interieur van zijn kamer in zich

op. Alles moest op zijn plaats blijven, hij zou niets kunnen meenemen.

Hij opende de lade van zijn tafeltje en keek nog een allerlaatste keer naar de tekeningen die zijn moeder had gemaakt. Hij duwde het doosje met de zilveren pen verder weg achter in de lade en opende een fotoboek met foto's van zijn moeder toen ze nog klein was. Op een daarvan zat ze op een bankje op de Kerkbrink met naast zich een wit hondje met bruine vlekken. Ze lachte verlegen, haar bolle beentjes naar voren gestrekt. Op een andere liep ze aan de hand van oma over de kermis. Van opa Bart waren maar weinig foto's. Hij had een bijrol gespeeld in het gezinsleven en was voornamelijk in de stomerij bezig geweest. Langzaam borg hij alles weer op en keek voor de laatste keer naar de tekening aan de wand, waarop hij zichzelf lang geleden had afgebeeld met een grote bloem in zijn hand. De bloem was niet langzaam verwelkt, zoals het hoort met alles wat oud wordt en doodgaat, maar op een winteravond kapotgeslagen tegen een boom aan de weg naar het volgende dorp.

Met een brok in zijn keel sloot hij zachtjes de deur van zijn kamer. In de achterkamer, waar oma en opa Bart vroeger sliepen en waar tante nu vrijwel de hele breedte van de matras met haar wanstaltige lijf bedekte, was het muisstil. Hij sloop op zijn blote voeten de trap af en pakte in de keuken een paar rubber handschoenen uit een lade en een pakje lucifers, dat hij meenam naar de stomerij. Het was tien uur. Op de tiende van de maand was hij geboren, voor zijn tiende verjaardag had hij Duko van oma gekregen, op zijn tiende was hij verliefd geworden op Ilse.

De klep van de reinigingsmachine was al weken gesloten maar het rook er nog steeds naar chemicaliën. De paspop stond er eenzaam bij en zat vol spelden met rode knopjes. Hij slikte een paar maal. Oma hield van rood. Op de avond van haar dood droeg ze de rode wintermantel die ze zelf had genaaid.

Leo trok de handschoenen aan, opende de kast met reinigingsmiddelen, waarin alles schots en scheef door elkaar stond sinds de dood van opa Bart, en greep een willekeurige fles. Formaldehyde stond erop. Het klonk gevaarlijk. Hij draaide langzaam de dop van de fles en rook eraan. Een smerige, prikkelende geur die hem aan lijm deed denken trok onmiddellijk als een brandende staaf door zijn neus naar zijn voorhoofd. Kokhalzend drukte hij zijn gezicht tegen de mouw van zijn pyjama en hoestte een paar keer in de flanellen stof, in de hoop dat tante hem niet zou horen. Daarna zette hij de fles weer gesloten op zijn plek.

Op de bovenste plank, makkelijk bereikbaar voor iemand met de lengte van Anton, ontdekte hij, op zijn tenen balancerend, naast een paar kartonnen doosjes en een oud slot dat van de deur van de reinigingsmachine moest zijn geweest, een volle fles White Spirit. Opa Bart had hem kort voor zijn dood op zijn gebruikelijke ongeduldige toon uitgelegd waar dat voor diende en waarom je er voorzichtig mee om moest gaan. White Spirit was een soort terpentijn waarmee je fantastisch vlekken uit textiel kon verwijderen maar ook een hele boerderij kon laten afbranden.

Leo haalde een stapel oude lappen onder uit de kast en legde die naast de White Spirit op de sorteertafel. In de verte sloeg de kerkklok. Het was kwart over tien. Hij was verbaasd over de nuchterheid waarmee hij te werk ging en had zich nooit voorgesteld dat het voorbereiden van een misdaad zo simpel was. Zolang je maar geen sporen naliet en door niemand werd betrapt. En zolang je slachtoffer maar rustig op haar plek bleef.

Finse sauna

20.17 UUR

Het verhaal over de impact van etherische olie had hij ter plekke verzonnen om zijn aandacht af te wenden van de gedachten die als een waterstraal uit een brandblusapparaat door zijn hoofd schoten.

Leo had in de werkruimte naast de sauna tussen de bedrijven door nog een flinke slok genomen van Berry's drankje en besloten zich niet te laten afleiden door vreemde vlekken voor zijn ogen. Er waren geen vleermuizen op cellulitisbenen en er was geen dik wijf met een roze zonnebril op. Hij had alles gedroomd en moest doorgaan met het zwaaien en wapperen met de handdoek. Hij leek verdomme wel een windmolen.

Julie, die hem constant in de gaten hield, begon hem aardig op de zenuwen te werken. Zou ze hem herkend hebben? En zou ze gaan praten? Ze had toch gezworen, toen, dat ze zijn geheim nooit zou doorvertellen? Maar toen was ze nog een kind, nu een journaliste.

Hij zwaaide nog een paar maal heftig met de handdoek en zag het aantal tepels voor zijn ogen verdubbelen. Wat had Berry ook alweer gezegd? Dat drankje was geen hoestdrankje.

Aan het eind van de halve cirkel aangekomen, sloot hij zijn ogen. Het maakte hem niet meer uit of hij iemand met de handdoek raakte. Hij zou niet de eerste saunameester zijn die dat overkwam.

Gedwee, als olifanten die hun dompteur gehoorzamen, hobbelden de mensen aan het eind van de eerste opgietronde naar buiten voor de sinaasappelpartjes en meloenen. Leo wreef in zijn klamme handen. De boel was weer onder controle.

❉

Hij moet de vrouw met de zonnebril wel herkennen, dacht Julie. Alles in Leo's gedrag wijst erop dat hij zich niet op zijn gemak voelt en de opgieting het liefst laat voor wat zij is. Daar stond hij dan met die handdoek boven zijn hoofd te zwaaien, een verhaal ophangend over etherische oliën en hun heilzame invloed op de menselijke geest. De glimlach op zijn gezicht, het verhaal over die olie, zijn hele houding, het is te opgefokt om echt te zijn.

Julie was niet mee naar buiten gelopen. Voor het rustig afkoelen en genieten van een stukje meloen was het te onrustig in haar hoofd. De herinnering aan Leo's geheim bezorgde haar een prikkelende hoofdpijn in deze vochtige ruimte. Toch bleef ze zitten. Ze wilde niks van Leo's gedrag missen.

Op de camping aan zee was ze na die bewuste zomer niet meer teruggekeerd met haar ouders. Leo's ontboezemingen waren afgevlakt door de tijd, maar kwamen nu weer haarscherp bovendrijven in haar herinnering. Naast hem in het zand, dat nog warm was van de zon, had Julie met haar duim en wijsvinger van haar linkerhand het wondje dat Leo's mes in haar rechterwijsvinger had gemaakt, dichtgedrukt.

'Dus niemand heeft je geholpen. Je hebt dit allemaal in je eentje bedacht', had ze opgemerkt.

Leo had haar zojuist verteld hoe hij in de stomerij een lange slang had gevormd van aan elkaar geknoopte lappen stof en die had overgoten met White Spirit. De benzinelucht was walgelijk geweest en had hem licht gemaakt in zijn hoofd.

'De politie is er nooit opgekomen dat ik de dader kon zijn. Die domme Anton is lange tijd verdacht. Door zijn dreigbrief aan tante Anne. Er was niet genoeg bewijs om hem voorgoed op te sluiten.'

Julie keek naar het litteken bij Leo's slaap. 'En toch ging het mis.'

'Ik heb de lege fles White Spirit teruggezet in de kast en heb een lucifer bij de lappen stof gehouden.'

'Die meteen in de fik vlogen.'

'Alles liep op rolletjes, tot ik de stem van mijn tante boven aan de trap hoorde. Ze hoestte en schreeuwde om hulp. Ik raakte in paniek, begon als een gek aan de plastic handschoenen te trekken, er sloeg iets tegen mijn gezicht aan en de vlammen raakten de kraag van mijn flanellen pyjamajasje.'

Julie voelde haar hart in haar keel kloppen. 'En je tante? Wat is er met haar gebeurd?'

Hij dacht even na, alsof hij keuze had uit meerdere antwoorden. 'Ze moet bedwelmd zijn geraakt door de rook. Ze is met een ongelooflijke klap onder aan de trap beland. Wat er daarna gebeurd is, weet ik niet meer. Ik lag bewusteloos bij de kassa, heb ik later gehoord. Volgens een brandweerman, die me heeft opgezocht in het ziekenhuis, had het geen minuut langer moeten duren. Anders was ik gestikt.'

'Wat vreselijk allemaal. Dus je hebt dit helemaal alleen gedaan? Om een konijn?'

Leo lachte cynisch. 'Ja, om een konijn. En nog veel meer.' Hij stak twee vingers in de lucht en knikte: 'Op mijn erewoord.'

Een emmer met ijsblokjes werd doorgegeven, waarmee de gasten hun lichaam konden inwrijven ter verkoeling. Leo gooide nog een laatste scheut water over de hete kolen, wapperde wat met zijn handdoek, en raadde iedereen aan vooral een dompelbad of koude douche te nemen ter afsluiting van het ritueel.

Julie stond op en keek naar de dikke vrouw. Ze moest minstens 140 kilo wegen, bedacht ze. Misschien wel meer. Met moeite kwam ze op gang en zette zich met haar handen af tegen de bank, waardoor de ribbels op haar buik heel even gladder trokken. Pas nu ontdekte Julie, met een zekere teleurstelling, dat er geen verticaal litteken van een keizersnee op haar buik zichtbaar was, geen incisie om een kind te bevrijden uit de holte van de uterus. Ze kon onmogelijk Leo's moeder zijn. Alles was maar fantasie geweest, gevoed door een toevallige samenloop van omstandigheden. Ze las te veel thrillers, lachte ze opgelucht in zichzelf.

Relaxruimte

23.30 UUR

Leo liep de relaxruimte binnen en nestelde zich in een van de leren fauteuils bij het haardvuur. Nog geen twee uur geleden zaten hier de gasten in hun badmantel te genieten van een gratis kopje koffie met amaretto ter afsluiting van de feestdag, dacht hij. Niemand had gemerkt wat er zich tegen tienen in het halfdonker vlak bij de Panorama sauna had afgespeeld. Dankzij het koele optreden van Anika was het ambulancepersoneel een kwartier na sluitingstijd ter plekke om de vrouw met de roze zonnebril, die nog niet eerder bij Sedna was geweest en zich als Trix Keppler had ingeschreven, na enkele vergeefse reanimatiepogingen op een brancard af te voeren. Je hoefde geen medisch expert te zijn om te zien dat ze morsdood was.

De contacten met de politieman en -vrouw waren minder soepel verlopen. Leo had ze op hun verzoek meege-

nomen naar Johns kantoor, waar ze hem hadden onder-
vraagd over de toedracht van het ongeluk en de veiligheid
in het gebouw.

'Meneer Van 't Sant,' vroeg de politievrouw met een
vlakke stem, 'u was getuige van het voorval?' Leo hield zijn
ogen gefixeerd op de familiefoto aan de wand tegenover
Johns bureau. Een lachende John op het dek van een schip,
nonchalant leunend tegen de reling, met naast zich zijn
vrouw en zijn beide dochtertjes. Hij had John nooit durven vragen of zijn moeder die foto had genomen.

'Hebt u gezien wat er is gebeurd?'

'Nee... nee. Niet direct', stamelde Leo. In zijn hoofd hoorde hij de stem galmen van de agente die hem vijfentwintig
jaar geleden, aan zijn ziekenhuisbed, dezelfde vraag had
gesteld, maar dan over het ontstaan van de brand in de
stomerij aan de Dorpsstraat.

De politievrouw drukte een paar keer op het knopje van
haar balpen en keek Leo met opgetrokken wenkbrauwen
aan. Pas nu zag hij dat ze één blauw en één groen oog had.
'Wat bedoelt u precies met "niet direct"? Was u kort na
het voorval ter plekke? Denkt u nog eens goed na.'

Leo drukte zijn vingers in het leer van de armleuningen
van Johns stoel. Ik moet mijn hoofd er goed bijhouden,
dacht hij. Voor je het weet slaan die twee dienstkloppers
op hol en beland ik in een partij drijfzand, waaruit ik me
met geen mogelijkheid kan bevrijden. Hoe was het precies
gegaan? Hij had gezien hoe dat mens de Panorama sauna
was uitgekomen, haar badjas van het haakje had gepakt en
daarna, geschrokken van zijn vloerveger, haar evenwicht
had verloren en onderuit was gegaan. Nee, hij had gezien

hoe ze de sauna was uitgelopen, haar badjas van het haakje had getrokken en bij het weglopen uit evenwicht was geraakt. Omdat ze zich opeens niet lekker voelde. Of nee, nog beter. Hij kwam pas aanlopen toen ze al breeduit op de grond lag in de donkere gang. Hij was bijna over die mevrouw Keppler gestruikeld.

De politieman, die tot nu toe zijn brillenglazen had zitten schoonwrijven, zette zijn bril op en keek Leo afwachtend aan. Het werd menens.

'Ik zag die mevrouw toen ze al op de grond lag. Ze moet niet goed zijn geworden.' Hij haalde zijn handen van de stoelleuningen en legde ze losjes op het bureaublad. 'Ons bedrijf stelt zich niet aansprakelijk voor de gevolgen van saunagebruik bij te hoge bloeddruk, obesitas, hartkwalen en dergelijke. Dat is voor risico van de klant. Dat staat duidelijk vermeld in onze voorwaarden', zei hij, waarop de twee hoofden tegenover hem begonnen te knikken.

Daarna had de politieman vragen gesteld over de conditie van de vloer, die volgens Leo kort voor de val van mevrouw Keppler nog was schoongemaakt, en over de veiligheidsvoorzieningen in het pand. Na een hernieuwde inspectie van de gang waar het noodlottige voorval rond 21.52 uur had plaatsgevonden, vertrok het koppel – schijnbaar tevreden over hun bezoek – met de mededeling dat ze de volgende dag nog contact zouden opnemen met de directeur.

Leo had direct na het ongeluk geprobeerd John te alarmeren, maar kreeg telkens diens voicemail. Niks ernstigs aan de hand, had hij ingesproken. Je hoeft me niet terug te bellen, dat doe ik zelf wel. Hij wilde John niet onnodig ongerust maken. Die had al genoeg sores aan zijn kop met zijn zieke moeder.

Het was vijf over halftwaalf. Hij zocht het nummer van John op de display van zijn iPhone en maakte verbinding.

'Leo? Dus jij bent... Ik weet ervan.' Johns stem klonk vreemd. Was Berry of Anika hem voor geweest om John te vertellen wat er met die Trix Keppler gebeurd was?

'Ik heb de hele avond geprobeerd je te bereiken, John, maar zonder succes.'

'Ik weet het.'

'Het was een ongeluk. Een fataal ongeluk. Die vrouw was sowieso aan een hartstilstand overleden. Ze was veel te vet.'

Het bleef stil aan de andere kant van de lijn. Toch vreemd. Als John door iemand van het personeel op de hoogte was gesteld van de plotselinge dood van een gast, waarom was hij dan niet vliegensvlug naar de sauna gekomen? Het bedrijf was Johns kind.

'Ik weet dat jij het bent, Leo. Ze heeft me alles verteld in de uren voor ze stierf. Ik ben erg in de war, maar kom nu naar je toe.'

Leo voelde hoe de hitte van het haardvuur zich als een vlammenzee over zijn lichaam begon te verspreiden. Waar had John het in hemelsnaam over?

Slaapkamer

23.40 UUR

Er is vandaag geen dode gevallen bij Sedna, dacht Julie. Ze lag languit op bed en volgde met haar blik de activiteiten van een spin die haar trendy kroonluchter gebruikte voor het maken van zijn web. Naast haar, op het nachtkastje, lag een sigaret geduldig op haar lippen te wachten. Geen dode, hoorde ze zichzelf herhalen. In haar al te grote fantasie had ze conclusies getrokken die niet realistisch waren. De vrouw in de sauna mocht dan in haar ogen een grote gelijkenis hebben vertoond met Leo's dode tante, maar waarom zou zij daarom zijn moeder zijn geweest? Leo's moeder moest een groot litteken op haar buik hebben en was al lang geleden 'met de noorderzon vertrokken', zoals hij haar destijds had verteld. Jammer dat die vrouw zo terughoudend was en geen interview wilde. Obesitas was toch een steeds vaker voorkomend probleem in de maatschappij en in combinatie met saunagebruik had ze er wel een aardig item van kunnen maken.

Na haar thuiskomst was ze achter haar computer gekropen en had ze de indrukken van die dag in één lange stroomstoot opgeschreven. Haar verhaal zou aan de verwachtingen van haar baas voldoen. Het interview met de saunavriendinnen Narcissa en Eve zou in een speciaal kader komen te staan, net als haar tips, en als kop boven het artikel kwam natuurlijk een grappige tekst om de aandacht van de lezer te vestigen op haar hooibedavontuur. Niets in het artikel over een zekere Leo Pulsing die zich opeens Leo van 't Sant noemde, niets over de steeds scherper omlijnde herinneringen van hun ontmoeting lang geleden op de camping aan zee, niets over de ware toedracht van de brand in de stomerij aan de Dorpsstraat in Esveld. Want vijfentwintig jaar geleden had zij, Julie van Selst, aan die bewuste Leo met haar eigen bloed de plechtige belofte gedaan dáár nooit iets over aan wie dan ook *never ever* te zullen vertellen.

Boven haar hoofd was de spin gestopt met het maken van het vangnet voor zijn prooi. In mijn slaapkamertje zul je lang moeten wachten voordat je je slag kunt slaan, bedacht ze. Ze draaide zich op haar zij, pakte haar sigaret en stak hem op. Nog even genieten na die vermoeiende saunadag. En dan mag het licht uit.

Relaxruimte

23.55 UUR

Leo zat onderuitgezakt in zijn stoel bij het haardvuur toen hij opschrok van het geluid van Johns BMW op het grindpad voor de hoofdingang. Met een klap sloeg een portier dicht. John zal nu de deur van het gebouw ontgrendelen, dacht hij, wat meer licht maken bij de receptie, naar het restaurant lopen en hem, via de glazen toegangsdeur naar de relaxruimte, van verre zien zitten in de fauteuil bij de haard.

Bij het naderen van Johns voetstappen bleef Leo naar de vlammen staren, alsof hij zo het moment waarop hun ogen elkaar zouden ontmoeten nog zo lang mogelijk kon uitstellen. Nooit eerder had het litteken bij zijn oor zoveel pijn gedaan.

Toen het dreunen van Johns voetstappen zo zwaar en dreigend werd, dat hij het liefst zijn oren met beide handen had bedekt, kon Leo zich niet langer inhouden en drukte hij zich op uit zijn stoel. John kwam dichterbij en als in een duizeling voelde Leo de warme omklemming van diens armen.

Er stonden tranen in Johns ogen.

'Hoe wist je...'

John maakte een beweging met zijn arm om aan te geven dat Leo weer moest gaan zitten en liep naar het restaurant. Even later kwam hij terug met twee glazen in zijn hand en ging in de stoel naast Leo zitten. 'Laat ik maar meteen met de deur in huis vallen.'

Leo voelde een leren band om zijn keel die langzaam werd aangetrokken.

'Mijn moeder ... ik bedoel, onze moeder, ze is er niet meer, jongen, ze is vanavond overleden.'

'Je bedoelt ... dat ik te laat ben...'

'Pas nu begrijp ik haar stille momenten, waarin ze voor niemand toegankelijk leek. Ze moet vaak aan jou hebben gedacht, Leo.'

'Waarom heeft ze me zelf nooit gezocht? Ik had je eerder moeten vertellen waarom ik hier... Nu is alles voor niets...'

'Vanmorgen vertelde ze dat ze je vaak geschreven heeft. Brieven, die altijd onbeantwoord zijn gebleven.' Leo moest aan oma en opa Bart denken. Zouden zij al die tijd...? 'En ze heeft ook verteld hoe de familie Pulsing haar de rug heeft toegekeerd. Uit angst. Uit schaamte. Ze was een zwanger gemaakt dorpsmeisje dat na de geboorte van haar kind zo snel mogelijk moest verdwijnen. Haar vader heeft daar een grote rol in gespeeld. Hij zorgde ervoor dat ze een baantje kreeg ver weg van Esveld.'

'En míjn vader...?'

'Hoe bedoel je, jouw vader? Hier. Drink eerst wat.' John gaf Leo zijn glas en wachtte tot hij een paar slokken had genomen. 'Zeg jij maar eerst eens hoe je mijn ... eh ... onze moeder op het spoor bent gekomen.'

'Een foto. Een artikeltje in een tijdschrift over wellness. Je had een prijs gewonnen als beste sauna van het jaar. Je stond op de foto met je vrouw en kinderen. En met een vrouw die volgens het artikel je moeder was en die akelig veel op mijn tante Anne leek, maar dan ouder.'

John knikte instemmend.

'Het was alsof ik ... alsof ik mijn tante weer in levenden lijve voor me zag, maar dat kon natuurlijk niet. De doorslag gaf de naam. Toen ik mevrouw I. Janssen-Pulsing zag staan, wist ik het zeker.' Leo slaakte een zucht van opgekropte spanning.

'Ma wist van de brand in de stomerij, en dat je eraan was ontsnapt. En dat je er een vreselijk litteken aan had overgehouden. In die tijd heeft ze nog geprobeerd contact met je op te nemen. Ze wist een haarfijne beschrijving van je te geven.' Hij wachtte even. 'Ik vond je altijd wel een beetje nieuwsgierig met je vragen over mijn moeder. Je wilde haar ontmoeten, maar blijkbaar niet overhaast te werk gaan.' Hij zweeg even. 'Helaas... Je geduld wordt niet beloond.'

'En de hoofdmeester?'

'De hoofdmeester van je lagere school?'

'Ja, mijn vader. Die schoft...'

John fronste zijn wenkbrauwen en tuurde naar de opspringende vlammetjes in het haardvuur. 'Wist je dat dan

niet?' vroeg hij met glimmende ogen en een rare onder-
toon in zijn stem. 'De hoofdmeester is toch niet je vader?'

'Maar, maar dat verhaal werd toch in het dorp verspreid? Zelfs mijn tante...'

'De hoofdmeester was juist degene die je moeder aan
het praten heeft gekregen. Door haar te laten tekenen. Je
weet toch wel wie je echte vader is?'

Leo zag de stoom weer van het persdek opstijgen, volgde de handelingen van de man die hem zo graag het beroep had bijgebracht. Zijn hoofd begon te tollen. Dus was
zijn eigen moeder dan zijn...?

'Je hoofdmeester zal al die verhalen wel hebben opgevangen. Waarschijnlijk was hij wijs genoeg om er niet op
in te gaan.'

Dus op de avond van het vreselijke ongeluk wilde opa
Bart met zijn dronken kop voor eens en altijd een einde maken aan alle roddelverhalen, flitste het door Leo's
hoofd. Omdat hij niet tolereerde dat de hoofdmeester
voor mijn vader doorging.

Leo voelde de hand van zijn vader om zijn pols, terwijl
zijn stem hamerde dat hij zijn best moest doen op school,
dat hij het bedrijf moest overnemen, dat het altijd zo was
gegaan in de familie, van vader op zoon, dat hij meer zakgeld zou krijgen als hij maar met de pers wilde leren werken. Hij zag oma voor zich, arme oma. Naïeve, lieve oma,
die zich achter de hardnekkigste roddels in het dorp ge-
schaard had.

'En wat weet je nog meer?' stamelde hij. Hij moest denken aan zijn tante, aan de brand, de zaak die als onopge-
lost was geklasseerd door de politie.

Er verscheen een glimlach op Johns gezicht. 'Dat ik nu niet langer enig kind ben maar een oudere halfbroer heb.' Hij legde zijn hand op die van Leo, die hem langzaam wegtrok en zijn hand op die van John legde.

Het gaf Leo een goed en vertrouwd gevoel om met zijn hand de hand van zijn jongere broer te bedekken. Ze keken naar de gelijkenis in de vorm van hun vingers, die er tot Leo's spijt niet was. Ze ontdekten dezelfde lage haarimplant, behalve dan op de plek waar Leo's oor verbrand was. Ze draaiden hun hoofd en vergeleken de rechte lijn van hun neus, die bij Leo aan het eind een beetje opwipte, net als bij zijn vader. Pas toen ze als twee kleine kinderen al hun fysieke verschillen en overeenkomsten hadden benoemd, merkte Leo op: 'Ik moet je nog iets vertellen, iets wat hier vandaag gebeurd is, iets waar ik je al die tijd over probeerde te bellen.' Hij zweeg even. 'Iets onbelangrijks.'

Volgens John hoefde Leo zich geen zorgen te maken over de valpartij van mevrouw Keppler. De gangen van het complex waren droog en schoon geweest, en niemand zou kunnen bewijzen dat dat niet zo was. Sedna was uitgebreid verzekerd voor dit soort ongelukken. Het was niet leuk, een dergelijk voorval aan het einde van een feestelijke dag, maar de gasten hadden er blijkbaar niets van gemerkt. Een meevaller vond John de afwezigheid van de journaliste op het moment van de dodelijke valpartij. John had connecties bij de *Heuvelland Post* en zou ze zelf wel even bellen voordat ook maar iemand op het idee kon komen een fantoomverhaal op te hangen over levensgevaarlijke situaties in zijn bedrijf. 'Slecht voor de goodwill, jongen. Een sterfgeval als van mevrouw Keppler wordt maar al te graag uit zijn verband gerukt. En als er eenmaal een negatief stempel op je bedrijf drukt... Mensen hebben een feilloos geheugen voor alles wat sensationeel is. Voor je het weet word je ingehaald door het verleden.' Hij zweeg even en keek Leo spottend aan. 'Nu kijk je net als je moeder', zei hij zacht.

Vicky heeft zestien jaar buiten Nederland gewoond met haar man Pierre, een hooggeplaatste Franse diplomaat. Als Pierre onverwacht overlijdt aan de gevolgen van asbestkanker, staat ze er samen met haar negentienjarige zoon Lucas alleen voor. Ze trekt in bij de moeder van Pierre en samen met haar zoon verwerkt Vicky de dood van haar man.

Als haar zoon gaat studeren in België, besluit Vicky te verhuizen naar Nederland. Ze vindt een woning in het midden van het land, haar geboortestreek. Eenmaal op haar plek ontdekt Vicky dat ze niet alleen kan en wil zijn, ze verlangt naar een nieuwe Pierre. Om die te vinden zoekt ze op datingsites voor hoger opgeleiden als Psilove en Dido. Tijdens haar speurtocht naar die ene nieuwe liefde heeft ze de meest bizarre ontmoetingen en komt ze terecht in de meest vreemde situaties, die niet altijd zonder gevaar zijn. Daarbij is daten niet zo simpel als het lijkt: moet Vicky haar keuzes maken op rationele overwegingen of dient ze haar innerlijke stem te volgen?

Date
Paperback, 288 pagina's
ISBN 978 94 6068 081 6
€ 5

Colofon

© 2013 Gerda Crouset en Uitgeverij Marmer

Redactie: Maria Vlaar
Omslagillustratie: Stephanie Frey / Arcangel-images.com
Omslagontwerp: Riesenkind
Zetwerk: V3-Services
Druk: Ten Brink

Eerste druk juni 2013

ISBN   978 94 6068 142 4
E-ISBN   978 94 6068 926 0
NUR   305

Uitgeverij Marmer BV
De Botter 1
3742 GA BAARN
T: +31 649881429
I: www.uitgeverijmarmer.nl
E: info@uitgeverijmarmer.nl

www.gerdacrouset.nl